GOLDEN AGE X PRIME MUSE

MANSHIN I

한국 민속신앙과 샤머니즘, 만신1 오라클카드

해설서

MANSHIN 1 | 한국 민속신앙과 샤머니즘
만신1 오라클카드

저자	고경아
초판 1쇄	2024년 6월 1일
출판사	황금시대
주소	서울특별시 강남구 신사동 596, 청오빌딩 지하 1층
출판등록	2016년 12월 8일 (제2016-000372호)
공식판매처	프라임뮤즈
대표전화	070-7764-7070
강의문의	010-7141-8794
Homepage	www.primemuse.com
E-mail	support@primemuse.com

ISBN : 979-11-91632-22-4(13180)

GOLDEN AGE X PRIME MUSE

MANSHIN I

한국 민속신앙과 샤머니즘, 만신1 오라클카드

목차

머릿말

우리나라 전통의 타로카드를 만들어야겠다는 생각에서 출발하여 만신1 오라클 카드를 제작하게 되었습니다.

우리의 것이 세계적이라는 것은 점술 분야에서도 마찬가지라고 생각합니다. 전통은 지키는 것도 중요하지만 더 새롭게 발견하고 가꾸어 가는 감으로써 미래에 물려줄 유산이 되리라고 희망합니다.

그 길에서 여러분들과 만나게 되고 많은 이야기가 꽃처럼 피어나게 되었습니다.

첫 걸음마를 시작하고 나서 이제 날개를 달고 조금 더 먼 곳으로 가보려 합니다.

우리의 것이었지만 잊혀졌던 시간 속으로, 위대한 영웅들과 신들의 세계 속으로 여러분들을 초대합니다.

감사합니다.

2024년 봄 어느날　고경아

1. 마고

우리나라 신화의 시작인 위대한 여신이다. 만물을 만들고 길러낸 신으로 인류를 창조하고 그에 맞는 법도 함께 만들었다. 마고지나(麻姑之那)는 마고가 세운 나라이다. 최초로 존재했던 신이며, 단군의 시대는 그보다 훨씬 뒤에 시작되었다. 마고의 뒤로는 마고성과 허달성이 나란히 실달성위의 하늘에 떠 있다.

KEYWORD

모든 일의 시작이자 결과이다. 원대한 계획이 있으나 아직 드러나 있지 않으니 첫 단추를 잘 끼워야 한다. 큰어머니, 나이 드신 여자분의 도움을 받는다. 나이가 같더라도 어른스러운 분위기를 풍기는 여자 귀인을 만나는 것이 좋다. 위대하고 장엄한 일에 매우 적합하다.

긍정적으로 작용할 때의 리딩

최고의 신으로서 자리매김하는 만큼 만사가 완전하고 바르게 흘러간다. 또 그런 목적을 갖고 있는 일에서 매우 길한 카드이다. 회사의 대표, 모임의 회장, 가족의 생계를 책임지고 있는 이들을 상징한다. 믿고 따를만한 존재이며 멘토가 되어줄 만한 사람을 표현하기도 한다. 또한 이 카드는 작은 일보다는 큰일에 적합하며 부와 명예 어느 한 쪽을 선택해야 하는 문제라면 명예에 가까운 면도 있다. 그러나 두 가지 모두 가능하므로 본인이 노력한다면 모두 가능하다. 종교적인 면모도 매우 강하기 때문에 자신과 인연이 있는 종교에 투신하여 평생을 수도하고 기도하며 살아가는 사람에게도 이 카드가 나온다.

부정적으로 작용할 때의 리딩

연애운에서는 여성 중심이 되거나 여성이 리드해야 한다. 부부가 결혼했다면 여성이 가정을 책임져야 한다. 혹은 이혼해서 혼자 자녀를 키우는 강한 어머니를 상징하기도 한다. 따라서 연애나 결혼에서 편안한 삶만 꿈꾸고 있다면 이 카드는 반갑지 않을 것이다. 독립적인 카드이므로 외로울 수가 있다. 남성의 도움 없이 스스로 일어서는 의미가 있기에 남자를 안하무인으로 볼 수가 있다. 그렇지 않다고 해도 남자의 입장에서는 언제나 기가 꺾일 수밖에 없는 아우라를 풍긴다. 드세다고 볼 수도 있으나 여성의 입장에서 살다 보면 명예를 얻기 위해 포기해야 하는 조건들이 있는 법이다.

이 카드를 솔루션으로 활용할 때의 리딩

이 카드가 나온다면 자신의 생각이나 목적이 정당한 것이라면 스스로를 믿고 진행해도 좋을 것이다. 사사로운 목적이나 뒷거래에서 이 카드는 의미가 없다. 그렇기 때문에 리딩을 할 때 주의를 해야하고 솔루션에서도 마찬가지이다. 여러 사람을 함께 이롭게 하거나 대의명분이 분명한 일에 최강의 힘을 발휘하게 돕는 카드이다. 그 점을 잘 인지한다면 이보다 더 강력한 에너지를 주는 카드는 없다고 봐도 된다. 만일 개인의 작은 이익에만 급급해서 어떤 일을 추진할 때 이 카드가 나온다면 되려 아무런 소득을 얻지 못할 수도 있을 것이다. 자신의 지향하는 바를 분명히 할 때 솔루션이 이루어질 것이다.

2. 비미호

신녀(神女)이면서 정치를 겸한 고대 일본의 여왕, 후대에는 여신으로 추존되었다. 일본의 최초 여신인 아마테라스와 동일시되기도 한다. 남성들이 왕이 되자 반란이 연속으로 일어났으나 비미호가 여왕이 되자 세상에 평화가 도래하였다.

KEYWORD

복잡한 문제를 해결하는 탁월한 역량의 소유자. 사건을 해결하는 열쇠는 여성이 쥐고 있다. 다른 이들과는 차별화된 전략을 구사한다. 독보적인 존재이며 개성적이고 비밀스럽다. 개인적인 영역보다는 공적인면에 더 강하다. 중구난방인 의견을 조율하고 하나로 통합한다.

긍정적으로 작용할 때의 리딩

신사의 도리이를 배경으로 하늘로부터의 신탁을 받는듯한 자세의 여신은 신격이 높기도 하지만 지향하는 바가 심오하고 깊다. 따라서 자신의 꿈이 크고 이상이 높을수록 잘 이루어지게 하는 힘이 있다고 본다. 대길한 카드이므로 재물과 지위 상승 모두 한꺼번에 이룰 수 있다. 정치적으로도 강력한 힘을 지닌 카드이므로 사회적으로 크든 작든, 모임에서 권위 있는 자리에 오르는 것도 가능하다. 감투를 쓰는 것에 매우 유력한 셈이다. 카리스마가 대단하기 때문에 웬만한 타인의 기세에 절대 휘둘리지 않는다. 오히려 자신의 기세를 몰아서 그들을 지배할 수도 있다.

부정적으로 작용할 때의 리딩

혼자서 모든 것을 결정하고 책임을 져야하기 때문에 상당한 스트레스를 받을 수도 있다. 타인의 도움, 남성의 도움이 필요하지 않는 여신이니 그러한 여성을 상상해 볼 수 있다. 그렇다고 남성에게 인기가 없는 것은 아니지만 정작 자신이 필요한 부분에선 남성의 도움을 받지 못하고 스스로 해결해야 한다. 이것은 우월한 여신 카드들의 공통점이기도 하다. 그래서 이 카드가 나온다면 어느 정도의 고난이 예상되니 마음의 준비를 하고 정면으로 돌파해야 함을 알 수 있다. 게다가 이 카드는 일반인들은 모르는 영적인 고난도 상징한다.

이 카드를 솔루션으로 활용할 때의 리딩

겉으로 드러나 있으며 모든 이들이 알만한 일보다는 숨겨져 있는 일에 강한 힘을 발휘하는 카드이다. 그러므로 비밀스럽게 일을 진행하고 지속적으로 끈기를 갖고 도전한다면 언젠가는 이루어내고야 만다. 짧은 시일 내에 끝나는 일이 아닌 것이다. 이러한 내밀한 일은 자신을 더욱더 신비한 이미지로 만들어주고 타인에게도 그러한 영향력을 행사할 수 있게 도와준다. 한편으로 매혹적인 힘도 함께 갖추고 있기 때문에 굳이 말로 구구절절 설명하지 않더라도 사람들이 몰려든다. 이루고자 하는 일이 장기간에 걸쳐 진행하는 것에 더 이롭다.

3. 서왕모

모든 신선을 감독하는 고대 중국 설화의 최고위(最高位) 여신이다. 서왕모가 들고 있는 복숭아는 사람의 수명을 관장하며, 하나를 먹으면 수천 년을 더 살수 있다는 전설이 있다. 선녀들의 호위를 받으며 곤륜산에 거주하는 성스러운 어머니로 묘사된다.

KEYWORD

건강, 출생, 식구가 늘어남, 상황이 호전됨, 평범한 사람에게는 허락되지 않은 일들, 특전, 귀한 것, 불가침의 영역을 상징한다. 실리주의자, 지혜로써 일을 처리함. 매우 화려한 사람이나 물건이나 부동산. 고품격. 일의 핵심에 관여하는 인사(특히 여성)

긍정적으로 작용할 때의 리딩

지위가 가장 높은 여신 중의 한 명인 서왕모는 위풍당당하게 앞을 향해 서 있고 주변에 시종들이 머리를 숙여서 분부를 기다리고 있다. 이 그림과 같이 작은 일에는 걸맞지 않고 크고 대범한 계획에 적합하며 여러 사람의 리더가 된다는 점에서 매우 긍정적이다. 남의 이목이 집중되고 모든 이들이 당신의 행동을 주시한다. 유명인이 된다는 건 피곤하지만 한편으로 즐거운 경험이다. 이 카드가 나온다면 자신에게 주어진 행운의 시간을 최대한 누리고 전진할 것을 암시한다. 그래서 위축되어 있던 마음을 떨쳐버리고 용감하게 자신을 드러내라는 조언으로 받아들일 수 있다.

부정적으로 작용할 때의 리딩

서왕모 카드가 부정적이라고 하는 것은 리딩이 어려울 수 있다. 하지만 질문에 대해서 응용력을 발휘해 본다면 잠재된 위험을 읽어낼 수 있다. 연애운에서 서왕모는 여성이 리드하는 면을 강조한다. 이때 여성이 리드하지 않고 있다면 연애는 좌절된다. 부동산을 거래해야 하는 문서운에서도 마찬가지다. 서왕모는 성공적인 계약을 암시하지만, 본인이 더 큰 이익에 눈이 멀어 거래를 성사시키지 않는다면 문서운은 흘러가 버린다. 게다가 서왕모는 자잘한 것에 관심이 없기에 당사자는 매우 큰 돈이나 그럴싸한 명예가 있는 거창한 계획을 지니고 있는지도 모른다. 위엄있는 여신에게 어울리지 않는 부분은 가차 없이 잘라버리는 것과도 같다.

이 카드를 솔루션으로 활용할 때의 리딩

매우 강력한 권력자, 혹은 고위직의 유능한 사람을 상징하므로 자신의 운의 흐름에서 조력자를 만나거나 일생일대의 기회가 왔다고도 볼 수 있다. 에너지가 매우 강력하게 모여들고 있기에 나약한 자신의 힘을 거대하게 증폭시킬 수 있다. '하늘은 스스로 돕는 자를 돕는다'는 옛말이 정확하게 들어맞는 셈이다. 예전의 모습에서 벗어나 새로운 자신으로 탄생한다. 애벌레에서 나비가 되어 날아가듯이 새로운 마음가짐으로 도약한다. 이 카드는 위대한 생각을 현실화하거나 다수 대중을 이롭게 하는 큰 뜻에도 매우 적합하다. 따라서 소소한 바람은 더디 이루어질지도 모르지만, 원대한 계획은 순조롭다.

4. 옥황상제

하늘의 지존이시지만 땅 위 사람의 일에도 많은 관심을 갖고 관여하는 최고의 신. 한국인들의 설화에 자주 등장하며, 하늘 세계를 비롯하여 생명들의 운명을 관장한다. 속세 사람들의 문제에 직접적으로 개입하는 경우도 있다.

KEYWORD

문서, 결정, 관재, 판단, 원칙을 고수하는 경향을 상징한다. 또는 그러한 존재(특히 남성) 처음 시작은 작고 보잘것없더라도 시간이 지나면서 매우 발전하고 격이 높아진다. 일이나 인간관계 모두 해당된다. 현실적인 생활 속에서 필요시 되는 일들에 대해서 길하며 뜬구름 잡는 일에는 적합하지 않다.

긍정적으로 작용할 때의 리딩

신들의 세계가 있다면 그곳의 왕은 옥황상제이다. 원래는 도교의 신이었으나 한민족의 문화와 융합하여 정착한 신이기도 하다. 그런 의미에서 공적인 일에 매우 적합하고 문서로 연관된 일이 술술 풀려나가게 도와주는 의미가 있다. 회사에서의 승진, 관리직으로의 영전 등등을 기대해 볼 수 있다. 또한 오래도록 관행으로 전해져 오는 일에 대길하며 전통적이고 역사적인 행사에는 매우 강한 힘을 발휘한다. 관료적인 성향이 돋보이는 카드이므로 그런 사업과 연관시켜 본다면 만족스러운 결과를 얻을 수 있다. 계약적인 면에서도 우월한 지위에서 체결할 수 있다.

부정적으로 작용할 때의 리딩

옥황상제는 우리나라 전통 이야기에 자주 등장하는 친근한 신이지만 사실은 신들의 세계를 통치하는 것을 주력으로 한다. 그래서 일반 사람들의 실생활이라든가 고민에 대해서는 현실적인 해결책을 상징하지는 못한다. 게다가 연애운에서 매우 보수적인 성향을 보이기도 하며 재빨리 행동으로 옮겨야 하는 부분에 대해서도 느리게 대처하는 면이 있어서 답답할 때가 있다. 새로운 아이디어나 유연함, 융통성이 발휘되어야만 하는 분야에서 이 카드가 나온다면 다시 생각해야 할지도 모른다. 결정권자가 이러한 성향의 사람이라면 제대로 된 지원을 해 줄 생각이 없을 것이다. 그는 새로운 것에 대해서는 그다지 관심이 없는 편이다.

이 카드를 솔루션으로 활용할 때의 리딩

이 카드는 체제를 유지한다는 의미가 매우 강하다. 어떤 면에서는 답답할 수 있지만 그러한 견고함이 있기에 세상이 유지되는지도 모른다. 국가나 작은 지역단체이거나 친구들 간의 모임이라고 하더라도 체제를 구축하는 방법은 차이가 있을지언정 기본적인 맥락은 같다. 그래서 처음 회사를 만든다거나 가게를 개업한다거나, 또는 모임을 만든다거나 할 때 이 카드가 나온다면 쉽게 부서지지 않고 단단하게 성장한다는 암시로 받아들이면 좋다. 그리고 이러한 토대 위에 그다음 단계가 하나씩 이루어간다. 이 카드도 최고위 신을 상징하며 자신이 이러한 역할을 해야 할 때나, 또는 이런 분을 곁에서 보좌한다거나 할 때도 매우 길한 카드이다.

5. 제석천

5. 제석천

도리천의 왕으로 불교의 수호신이며 강력한 신들의 우두머리이다. 부처님의 법회를 수호하고 인간의 번뇌와 죄를 다스린다. 들고 있는 금강저는 인간의 탐욕과 죄를 씻어주는 지혜를 뜻한다. 무속에서는 제석거리를 통해서 보다 더 친숙한 의미로 다가오며, 민생에 복과 수명을 주시는 존재로 승화했다.

KEYWORD

소송이나 싸움에 있어 매우 유리한 위치를 점할 수 있다. 관재가 발동될 수 있으나 내 카드가 제석천이 나오면 무적의 힘을 갖게 됨을 뜻한다. 남과 비교될 때, 혹은 경쟁이 될 때 매우 좋은 의미이다. 평범을 거부하고 독보적인 일이나 존재가 되거나 그러한 상대와 만난다.

긍정적으로 작용할 때의 리딩

제석천은 민간에서는 재물을 불려주고 사람들의 소원을 즉각적으로 해결해 주시는 신통력을 상징한다. 세상이 아무리 발달해본들 사람이 살아가는 것은 동서고금 비슷하다. 고민거리도 비슷하고 욕심도 마찬가지다. 그래서 제석천은 이러한 문제에 대해서 비교적 솔직하고 담백하며 응답이 빠른 신으로 볼 수 있다. 이 카드가 나온다면 자기 고민의 절반 이상은 해결이 된다고 봐도 된다. 그것이 생활 전반의 어떤 분야이건 포괄적인 해결이므로 너무나 안심이 되는 카드이다. 부귀함과 권력을 동시에 드러내는 힘이기 때문에 상대방에게 자신을 어필할 때도 참 좋다. 사람들이 자신을 어떻게 보는가 할 때 이 카드가 나온다면 더 바랄 것이 없다.

부정적으로 작용할 때의 리딩

여러모로 좋은 카드이므로 부정적인 리딩에는 무엇이 있을까 궁금할 것이다. 하지만 이 카드는 다른 이와 비교하거나 함께 일을 진행해야 할 때 조금 다른 해석이 필요하다. 예를 들어 동업을 해야 하거나 업무 협력을 해야한다거나 또는 낯선 이들과 함께 행사를 치러야 하는 등의 여러 가지 사정이 생겼을 때를 말한다. 이때 자신을 상징하는 카드는 제석천이지만 상대방들의 카드가 그 힘에 미치지 못하는 카드가 나왔을 때는 나 혼자 일복이 넘쳐난다고 볼 수 있다. 상대방 몫까지 유능한 내가 다 도맡아서 해야 할지도 모르는 셈이다. 이렇게 되면 공평하게 투자하고 함께 일하고 이익을 나누는 부분에 대해서 불평이 생길 수밖에 없다. 제석천인 자신 덕분에 남이 가만히 앉아서 이득을 챙기는 꼴이 된다.

이 카드를 솔루션으로 활용할 때의 리딩

제석천의 힘은 거의 전지전능하다. 모든 신 중에 으뜸이라는 것이 아니라 속물처럼 살아가는 인간들의 소망에 부응하시는 힘이 강력하다는 뜻이다. 그렇기에 땅 위에 발을 붙이고 사는 사람들이라면 모두 제석천을 그리워하게 마련이다. 이 카드를 솔루션으로 해결하고자 한다면 마음을 넓고 크게 먹어야 한다. 자신의 아래에 사람들을 거느리고 일을 시키고 급여를 나눠주는 사장님 마인드라고 생각하면 이해하기 쉬울 것이다. 그렇다고 으스대거나 뻐기는 행동은 삼가해야 한다. 그것만 조심한다면 모두가 당신을 따르고 사모할 것이다. 언제 어디에서나 자신은 환영받는 사람이 될 것이 틀림없다.

6. 조왕신

6. 조왕신

가족의 번창을 돕고 액운으로부터 보호하는 역할을 하는 가택 신중의 한 분이다. 작은 단지나 주발에 모셔놓고 빌기도 한다. 부뚜막의 신이기 때문에 불을 다스리고 이 앞에서는 나쁜 말을 삼가하는 등 금기사항이 많았다. 주부들의 생활과 밀접한 신이다.

KEYWORD

집 안에서 벌어지는 일, 가족 간의 일, 남에게 알려져서는 곤란한 일, 자잘한 행복이 있으되 큰 불행은 닥치지 않는다. 쉽게 해결될 수도 있는 일, 특히 여성들과 관련된 일이다. 말조심하며 행동거지에 특히 신경 쓸 일이 생긴다.

긍정적으로 작용할 때의 리딩

사람의 의식주 중에서 가장 중요한 것을 고르라면 당연히 먹는 것이다. 위급 상황에서 집과 옷은 대충 해도 되지만 먹는 것이 부족하면 건강을 해치게 되고 생존에 큰 위협이 되기 때문이다. 그래서 부엌의 지킴이 조왕신은 가족의 먹거리를 책임지는 아주 중요한 신이다. 모든 게 힘들고 무너져도 먹을 게 충분하면 다시 일어설 힘이 있기에 가장 근본적인 부분을 지키고 보호하는 신이다. 더 나아가서는 집안의 액을 막아주고 지켜주는 보호자의 역할을 자처한다. 그래서 조왕신이 나오면 웬만한 집안의 고민은 해결되고 생활을 유지할 수 있다. 아무리 밖에서 대단한 일을 하는 사람이라고 하더라도 저녁이 되면 안락한 집으로 돌아가 쉬어야 하기에 가장 근본적인 안정도 상징한다.

부정적으로 작용할 때의 리딩

집안을 늘 든든하게 지켜주는 조왕신이 부정적으로 작용한다는 건 상상하기 힘들다. 하지만 과유불급이라고 해서 너무 애착이 심하다 보면 간섭으로 변하는 것이 신들의 세계에도 존재한다. 늘 감싸고 보호하고 제자리에 있으려는 조왕신의 특성상 외부로 뻗어가거나 모험적인 일을 해야 하거나 이사를 가거나 하는 등의 문제에선 매우 완고하고 거부반응을 보인다. 그래서 가족 구성원에게 이 조왕신이 등장하면 웬만해선 상세한 설명을 하지 않는 것이 좋을지도 모른다. 어디로 이사를 가자고 제안을 하면 그때부터 오만가지 걱정을 늘어놓을게 뻔하고 움직이지 않으려 하기 때문이다.

이 카드를 솔루션으로 활용할 때의 리딩

거창한 사업을 하고 유명인이 되는 것도 좋지만 결과가 실속이 없다면 소용이 없다. 남에게 보이는 부분보다 내면이 알차게 좋고 그럴싸진 않아도 이익이 남는 장사가 좋다. 그런 의미에서 조왕신은 이러한 에너지를 증폭하고 유지할 수 있게 도와준다. 집순이, 집돌이가 되어서 집 밖으로 나가려고 하지 않는 사람들도 요즘은 집안의 생활을 컨셉으로 해서 많은 돈을 벌고 있기도 하다. 그런 분들에겐 집안의 생활과 이야깃거리로 이익을 벌어들이니 조왕신의 가장 긍정적인 사례라고 볼 수 있겠다. 외부와의 소통을 단절하고 오로지 혼자 살아간다는 의미가 아니라 자신의 거처에 더 애정을 가진다는 의미에서 유익하다.

7. 치우

7. 치우

신화 중에 가장 위대한 제왕인 황제와 전쟁을 벌이고 천하의 주인을 다툰 군신(軍神). 강인하고 용맹하며 기묘한 전술과 전략에도 능하다. 마지막에는 황제에게 패배하였으나 사후에 신으로 추존되었다. 모든 전쟁의 왕으로 묘사된다.

KEYWORD

여러 사람이 힘을 합하여 일을 진행하는 것이 더 이롭다. 생각 외로 일이 빨리 끝나지 않고 제2, 제3의 사건이 연발한다. 사건의 결말이 지어진 이후에도 한 번 더 기회가 기다리고 있다.

긍정적으로 작용할 때의 리딩

자신이 위기에 처했거나 남과 소송을 해서 다툼을 벌인다든가 할 때 이 카드는 신출귀몰한 용맹함을 발휘한다. 상대방이 전혀 알 수 없는 전략을 구사하기 때문에 뜻밖의 방법으로 어려운 일을 해결하기도 한다. 그것이 단기적인 일이라면 더욱 길하다. 짧은 기간 안에 모든 것의 성패를 좌우하고자 한다면 이 카드만큼 강력한 것이 없다. 라운드에서 권투 시합을 연상하면 이해가 쉬울 것이다. 이 카드를 지닌 사람을 상대는 결코 이길 수 없다. 또한 예전부터 전해 내려온 고전적인 방법보다는 획기적이고 기발한 아이디어나 혁신적인 제안에서 이 카드는 강력한 추진력을 발휘하는 것이다.

부정적으로 작용할 때의 리딩

장기적인 일에 이 카드는 조금 불리하다. 예상을 벗어난 방법이 잘 통하는 것은 단기적이고 즉각적인 대처일 때이다. 매우 지루하게 싸움이 길어지거나 서로 의사소통을 해야 하거나 오래도록 조율을 해야 한다면 이 카드는 좋지 않다. 초반에 에너지를 모두 쏟아부어서 오래 가기 힘든 연애라든가, 사업을 떠올려 보자. 지구력을 가지고 꾸준하게 무엇인가를 이루어야 할 때 후반부에 에너지가 모자라게 된다. 금전적인 배경도 마찬가지다. 그러니 이러한 것을 제대로 분배하지 못한다면 지나친 열정은 결국 패배를 낳을지도 모른다. 젊은이들은 순수한 반면 혈기가 강해서 일을 그르치기도 한다. 그 점과 비슷할 것 같다.

이 카드를 솔루션으로 활용할 때의 리딩

신비하고 영웅적인 신의 카드인 만큼 일반 사람들과는 구별되는 독특한 상황이라든가 가치관을 수호한다. 그래서 자신이 하고자 하는 지향점과 현재 상태를 잘 파악해 보고 이 카드를 솔루션으로 하는 것이 맞는지를 살펴보는 것이 좋을 것이다. 안정적이고 변화가 없는 소시민의 삶을 행복으로 여긴다면 이 카드는 잘 맞지 않을지도 모른다. 치우 카드는 전쟁의 신이다. 따라서 자신이 절박한 상황에 처해져 있거나 돌파해야 할 난관에 처했을 때 최상의 힘을 발휘하는 카드인 것이다. 남들과는 다른 특이한 직업을 가진 사람에게도 솔루션으로 작용할 수 있다.

8. 금강역사

8. 금강역사

불법을 수호하고 야차신을 거느리며 악귀를 제압하는 신들이다. 절의 입구 양옆에서 늘 지키고 서 있으며 불의 수호신이기도 하다. 무장의 형태를 하고 있으며 부처님의 비밀스러운 사적을 들으려는 서원을 세웠다고도 한다.

KEYWORD

활력, 행동에 옮김, 곧 드러나는 상황, 권선징악을 상징한다. 외모와 성격이 반드시 일치하지는 않을 때도 있으니 선입견을 조심해야 한다. 목표 의식이 뚜렷하며 비밀스러운 일에 달통한 사람. 불을 다루는 직업, 정보통, 일을 진행함에 있어 맨 먼저 맞닥뜨려야 할 부분이나 존재. 남성적인 존재들.

긍정적으로 작용할 때의 리딩

첫눈에 봐도 악을 징벌하고 수호자의 역할을 잘 해주실 것 같은 포스가 보인다. 이 신들은 두 분이 움직이는 경우가 많은데 그것은 사람의 손이 두 개이고 새가 하늘을 날기 위해 펼치는 날개도 한 쌍인 것과도 비슷하다. 그러므로 매우 유능하고 실용적인 대처가 가능하다는 상징이다. 즉각적이고 신속하게 대응하게 되기 때문에 일이 질질 끌거나 늘어지지 않는다. 연애 중이라면 불같은 싸움을 하고 금방 화해한다. 나를 힘들게 하는 일이 있었다면 신속하게 해결된다. 타인의 눈에는 일이 순식간에 해결되는 것처럼 보여 매우 신비하게 비춰질 것이다. 때로 자신만의 비법이나 지혜를 가지고 있는 것도 상징한다.

부정적으로 작용할 때의 리딩

포기할 것은 빨리 포기하는 게 낫다. 이것을 부정적이라고 보긴 어렵지만 만일 빌려준 돈을 돌려받아야 한다거나 할 때, 그것을 포기해야 한다면 사실 손해를 입어야 하므로 마음이 힘들게 마련이다. 그렇기에 긍정적으로 보기 어렵다. 연인과 헤어져야 한다면 빨리 받아들이는게 낫다. 금강역사에게 후퇴란 없고 전진만 있다. 그래서 과거에 연연할 필요가 없다는 것이다. 하지만 마음은 아프다. 정신을 가다듬고 앞으로 전진해가기 위해선 많은 에너지가 필요하다. 말이 안 통하는 상대방에게 내 처지를 호소하거나 다시 매달리는 것은 자존심 상하는 일이다. 자신의 마음을 잘 가다듬어야 한다.

이 카드를 솔루션으로 활용할 때의 리딩

매우 기세등등한 대처가 가능하지만 그것을 나만의 힘으로 읽지 말고 대세가 어떻게 흐르고 있는가를 잘 파악할 때 더 효과가 있다. 즉 지금 주변 환경의 흐름이 금강역사의 느낌처럼 흐르고 있다고 한다면, 일을 더 벌이면 안 되고 냉정한 판단이 필요하다. 이 카드를 솔루션으로 쓸 때는 매우 차가운 이성의 판단을 믿을 필요가 있다. 또한 불필요한 동정심이나 측은지심은 접어두고 현실을 어떻게 개척할 것인가에 집중한다. 승부를 한다면 그 결과를 대인배의 자세로 받아들이는 것도 필요하다. 사람은 승부에서 졌을 때의 자세가 더 중요하다. 물론 자신이 진다고만 볼 수는 없지만 최악의 경우를 대비하게 해주는 마음 자세이다.

9. 벼락장군

9. 벼락장군

비를 동반하는 벼락의 신이다. 큰 소리로 인해서 인간들이 번뇌와 망상에서 깨어나도록 돕는다. 안개와 구름이 함께 하므로 신출귀몰하고 한번 발동하게 되면 기세를 아무도 막을 수 없다.

KEYWORD

갑자기 벌어지는 일, 준비 없이 당해야 되는 상황, 어떤 일이 벌어지기 전의 전조이다. 곧이어 다른 결과가 초래될 수도 있고, 예상보다 결론에 빨리 도달할 수도 있다. 일의 전후를 제대로 알기 어려워 때늦은 후회를 한다. 소리 날 일이 생긴다. 낯선 곳에서 이상한 경험을 할 수도 있다. 교통사고도 조심해야 하고 낯선 사람도 주의해야 한다.

긍정적으로 작용할 때의 리딩

한마디로 표현하자면 속이 시원한 해결이다. 우물쭈물할 새도 없이 일이 일사천리로 진행된다. 연애를 하게 되면 만나는 첫날 사귀게 되는 셈이다. 옛날에 번개나 벼락은 곧 비를 불러왔으므로 가뭄이 해결되는 반가운 신호이기도 했다. 그래서 겉으로는 무섭게 보이지만 알아 가다 보면 진국인 사람을 상징하기도 한다. 또 평소에 전혀 알지 못했던 사람이 나타나서 자신이 곤경을 곤경에서 구해주는 것도 상징한다. 그러니 벼락이라고 해서 꼭 무섭게만 리딩을 할 필요는 없는 것이다. 그때 그때의 상황에 맞는 리딩이 필요하다. 질질 끌던 일이 있을 때 벼락 장군이 나오면 즉시 해결됨을 상징하니 반갑지 않을 수 없다.

부정적으로 작용할 때의 리딩

이 카드가 부정적으로 읽혀질 때는 자신의 예상과 전혀 다른 일을 맞닥뜨렸을 때이다. 늘 온화할 것 같은 일상에 깜짝 놀랄 일이 생기는 것이다. 마른하늘에 벼락이 치는 것은 정말 무서운 일이다. 애지중지하던 그림이 벽에서 떨어지거나 아끼던 고급 화병을 깨어버리든가 하는 가벼운 일에서부터 교통사고가 난다든지 가방 안의 지갑을 도둑맞은 것을 알게 된다든지 하는 큰 손해까지 포함된다. 자신이 실수로 그렇게 하든 남이 그렇게 하든 어쨌거나 전혀 예상하지 못한 일을 만나게 되는 셈이다. 그래서 이 카드가 나올 때는 특히 아침 일진의 경우에는 그날 하루는 조심스럽게 생활할 것을 조언한다.

이 카드를 솔루션으로 활용할 때의 리딩

벼락장군 카드는 마음을 비우고 받아들여야 한다. 하늘에서 내리치는 벼락을 지상의 인간이 어떻게 맞받아칠 수 있겠는가. 인간에게 오만함을 버리게 하며, 언제 어디서 무슨 일이 생기더라도 순응하는 법을 가르친다고 볼 수 있다. 이제 벼락장군 카드가 나왔으니 내가 하고 싶은 대로 다 될 거라는 식의 리딩은 너무 단순하다. 그러니 솔루션으로 활용하고 싶을 때도 같다. 자신이 벼락 같은 힘을 가지든 상대방이 벼락같은 힘으로 나에게 대항하든 간에 그것은 운명적으로 일어날 일인 것이다. 그러므로 이 카드를 솔루션으로 활용하고자 한다면 자신에게 주어진 삶의 순리대로 따르는 자세를 배울 수 있다.

10. 백마장군

10. 백마장군

흰말을 타고 하늘과 땅을 왕래하면서 인간을 수호하는 신. 용맹하고 위엄이 있으며 큰일을 해결한다. 거침없는 기상으로 돌격하는 모습이 매우 믿음직하고 강력하게 느껴진다. 용맹하고 영웅적인 장군으로 대표적이다.

KEYWORD

달리는 말은 역마살, 이동수를 나타낸다. 크고 위대한 일의 계획과 진행, 사사로운 것에 얽매이지 않는다. 고귀한 기상, 리더쉽, 카리스마, 남을 지배하는 능력을 상징한다.

긍정적으로 작용할 때의 리딩

어떤 이동이든 자신이 하려고 마음을 먹었을 때 그것을 추진하게끔 만들어주는 강력한 힘을 상징한다. 우물쭈물하면서 결국 행동으로 옮기지 못하는 사람에게 이보다 더 반가운 카드는 없을 것이다. 백마장군이 나타나면 멈추는 법은 없다. 달리는 말 위에서 사람이 뛰어내리지 못하는 것처럼 엄청난 기세로 이동해간다. 그 결과가 어떻든 간에 움직이지 못해서 갑갑하던 사람에게는 속시원한 카드이다. 타의에 의해서건 자의에 의해서건 일단 이동에 대해선 백프로의 카드인 것이다. 게다가 백마장군이 탄 말은 매우 속도가 빠르다. 지겹게 이어져 온 인연이라든가 일에 대해서는 곧 모든 결정을 내리게 될 것이다.

부정적으로 작용할 때의 리딩

이 카드는 노인들이나 어린이들에겐 잘 맞지 않는 카드이다. 옛날이나 지금이나 이사를 하거나 먼 거리를 이동하려고 하면 제일 신경써야 하는게 가족구성원 중에 연로한 분이 있거나 아기가 있는가 하는 점이다. 건강한 젊은이들이야 문제 될 게 없지만 체력이 약한 가족이 있다면 병에 걸리는 일이 많을 수밖에 없다. 먼 곳으로 여행을 떠난다고 하더라도 문제는 마찬가지이다. 그렇기에 늘 좋다고만 볼 수 없으니 이 점을 참작해서 리딩한다. 추가해서 뽑은 카드를 응용해서 어떤 부분이 악화될 것인가를 미리 예상해보는 것도 좋다. 신중하게 일을 결정해야 할 때도 조금은 불리하다. 달리는 말 위에서 신중해지기란 일반인에겐 어려운 일이다.

이 카드를 솔루션으로 활용할 때의 리딩

문제의 해결방안으로 백마장군 카드가 나왔다면 지금 당장 행동하라는 신호로 파악한다. 내담자의 입장에서 만일 행동한 후의 결과가 잘못되거나 안좋을까 불안해하더라도 일단은 이동하고 움직이도록 하는데 초점을 맞춰야 할 것이다. 바람이 부는 것을 멈추게 할 수는 없는 것처럼 전체적인 흐름이 변화를 암시하고 있는데 혼자 멈추어 있으려는 것은 어리석다. 고민에 대한 해답을 원한다면 반드시 움직일 것을 강조해야 한다. 운동, 여행, 전업, 이사 등과 인간관계의 변화 등도 모두 포함된다. 이 카드는 강인한 행동력의 암시가 있으므로 수동적인 사람들을 변화시켜 주기도 한다. 바람이 불고 있다면 돛을 올려야 하는 것이다.

11. 관우장군

11. 관우장군

중국 삼국시대의 이름난 장군. 충성심과 의로움의 상징. 최후의 순간에는 일부 미화된 부분이 없지 않으나 현재까지도 절개와 무예의 신으로 섬겨지고 있다. 개성 있는 용모와 더불어 삼국지 도원결의 주인공 중 한 분이다.

KEYWORD

위기의 순간을 헤쳐나감, 99프로 잘하다가 1프로에서 아쉬움이 남기도 한다. 지금은 행동으로 옮겨야 할 때, 다른 것보다는 명예를 생각해야 한다. 사사로운 것에 얽매여서는 더 큰 화를 초래한다. 조직 내에서 자신의 역할을 잘 수행함이 옳다. 2인자의 삶이 더 나을 수도 있다.

긍정적으로 작용할 때의 리딩

삼국지 주인공 중에서 충성심과 의리의 표상인 관우장군은 민간에서 재물의 신으로까지 승격되어 모셔지고 있다. 그래서 이 카드가 나올 때는 주저하지 말고 자신의 계획대로 밀고 나가며 박력 있게 일을 추진해도 좋다. 자기 자신을 강하게 믿고 실천하라는 뜻인 셈이다. 그래서 자신이 위기에 처했다거나 곤란한 지경에 있더라고 이 카드가 나올 때면 다시금 용기를 얻어서 일어설 수 있다고 해석할 수 있다. 그런 의미에서 매우 반갑고 의지가 되어준다. 게다가 관우장군의 뒤에 그를 따르는 다수의 장수가 그려져 있으니 팀워크를 구사해야 하는 일에서 리더쉽을 발휘하는 것에도 매우 긍정적으로 작용한다.

부정적으로 작용할 때의 리딩

명장으로 여러 전쟁에서 승리한 관우장군이긴 해도 연애운이라든가 건강운에서는 조금 주의할 필요가 있다. 큰 업적을 앞두고 전쟁에 임하고 있기 때문에 개개인의 사사로운 감정에 얽매여서는 일을 진행할 수 없다. 그만큼 긴박한 일에 중요하게 쓰임이 있는 카드이므로 감정적으로 서로 다툰다거나 연인끼리 화해가 필요할 때 이 카드가 나오는 것은 반갑지 않을지도 모른다. 게다가 자신이 일인자가 되려는 욕심이 과하게 작용할 때는 좋지 않은 결과가 나오게 되므로 이 카드가 나온다면 무리 속에서 자신의 위치에 대해 잘못된 판단을 내리지 않는가를 생각해야 한다.

이 카드를 솔루션으로 활용할 때의 리딩

명분이 확실하고 대의를 위해서 자신이 무엇을 할 수 있는가를 잘 설정해야 한다. 이 카드는 목적 없이 헤매이는 것을 제일 싫어한다. 그래서 자신이 가장 잘할 수 있는 부분과 잘 해내지 못하는 부분을 인정하고 그에 맞는 전략을 구사하는 것을 조언해주고 있는 것이다. 이 카드를 솔루션으로 사용하고자 한다면, 주변의 인물 중에 관우장군과 같은 인물이 있는지를 판단할 때 도움이 된다. 이 카드가 나오는 인물은 분명 자신을 도와줄 것이 분명하다. 자기 자신의 처지에 대해서 조언을 구하고자 할 때도 이 카드가 나온다면 일인자로 나서기만 할 것이 아니라 무리의 움직임과 대세를 잘 파악하면 매우 좋은 결과가 나온다는 것으로 알면 된다.

12. 칠성신

인간의 재물과 수명을 관장하며 북두칠성이 의인화된 신이다. 보통 남자의 모습 7명으로 그려지나 여성신과도 섞어 그려보았다. 옛날에는 하늘에 기우제를 칠성신에게 지내기도 했었으며 특히 어린아이를 보호한다. 사람의 생로병사에 모두 관여하며 재물의 많고 적음도 칠성신의 영향이라고 생각하였다.

KEYWORD

상상 속의 일이 아닌 매우 현실적인 문제와 인간관계, 가족 간의 일, 회사 내의 사람들이나 밀접한 사람들과의 사이에서 일어나는 일이다. 건강과 재물 모두 해당되며 좋은 일이 생길 것임을 암시하지만 만일 문제가 생겼을 시에는 편협하게 대하지 말고 함께 살아가는 의미를 되새겨야 할 것이다. 나의 힘과 운으로는 모자라게 느껴질 때, 후원자가 나타난다는 뜻도 있다.

긍정적으로 작용할 때의 리딩

끈덕진 생명력으로 문제를 해결해 나가는 불굴의 의지를 상징하는 카드이다. 그래서 어떤 문제가 닥치더라도 절대로 좌절하지 않는다. 인간 본연의 생기를 드러내는 이 칠성신의 위력은 참으로 심오하다. 오랜 옛날에는 북두 칠성에게 드리는 기도를 민간에서 잘 행하였는데 그 덕분인지는 몰라도 대대손손 자손이 이어지게 만드는데 가장 지대한 영향을 끼치는 신으로 알려져 있다. 몸이 아프거나 집안에 쌀이 떨어져 갈 때도 칠성신은 기도를 들어주셨으니 현대에도 사람의 고민과 아픔은 비슷한 연고로 이러한 소소한 삶의 문제를 해결해 주신다는 점에서 매우 긍정적이다. 높은 이상과 꿈도 중요하지만 당장 내 생활이 궁핍해지거나 몸이 아파지면 그보다 더 중요한 것은 없기 때문이다.

부정적으로 작용할 때의 리딩

오랫동안 켜켜이 쌓인 가족의 정 때문에 사소한 일도 자기 마음대로 못 하는 집안의 막내가 겪는 괴로움이라고 생각하면 이해하기 쉽다. 실상 그 막내가 아무런 결정도 하지 못하는 바보는 아닐 터이다. 그럼에도 불구하고 하는 일이나 선택에서 죄다 옭아매는 것 같은 현상이 반복되며 나중에는 자포자기하게 되는 것은 '칠성줄이 세다'고 하는 우리의 옛 표현에서 잘 드러나 있다. 칠성신이 좋다고 할 땐 언제고 또 그 기운이 세기 때문에 부정적이라는 것은 또 무슨 뜻일까? 쉽고도 어려운 해석이다. 정이 지나치면 간섭이 되고, 고향에 오래 머물러 살다 보면 객지로 나가서 도전하는 기백을 잃어버리게 되니 사람이 쪼잔하게 된다. 지나친 보호는 모험심을 잃게 한다.

이 카드를 솔루션으로 활용할 때의 리딩

혼자 살아가는 것이 아니라 더불어 살아가는 세상을 잘 드러내 주는 카드이다. 아무리 잘난 사람이라고 하더라도 혼자서는 살 수 없다. 잘난 사람이건 못난 사람이건 다 쓰임새가 있고 소용이 되어서 이 세상의 바퀴는 잘 굴러가고 있다. 그러한 이치는 지식보다는 지혜에 가까운 것이다. 그렇기에 칠성신 카드를 솔루션으로 쓰려고 한다면 조금 더 먼 미래를 바라보는 시야를 가져야 한다. 눈앞의 것에 급급하거나 작은 실패에도 좌절하는 사람은 칠성신 카드를 사용할 수 없다. 오히려 더 위축될 뿐이다. 마음의 내공이 어느 정도 깊이가 있어야 생기도 담아두었다가 꺼내 쓸 수 있는 것이다. 마치 우물이 깊어야 샘이 마르지 않는 것과 같다. 그러나 어리석은 사람은 우물이 깊어서 물을 퍼내 쓰는데 힘들다고 불평만 하고 앉았을 것이다.

13. 남산신

13. 남산신

우리나라의 명산에는 어디에든 산신이 있고 이름 없는 작은 산에도 산신이 있었다. 그만큼 민생과 밀접한 관련이 있으며 친근한 신으로 마을의 길흉화복을 관장하였다. 이 그림의 산신은 찻주전자를 들고 있는 동자의 수발을 받고 있는 남산신이다.

KEYWORD

나를 비롯하여 둘러싸고 있는 환경적 요인에서 원인을 찾아보아야 한다. 웃어른 특히 나이 든 남자 어른이 관여해서 일을 해결하게 된다. 어렵지만 묘수가 생긴다. 베풀어야 할 시기임을 알려준다. 힘든 상황일 때 누군가 중재를 해주게 된다.

긍정적으로 작용할 때의 리딩

남산신카드가 나오면 어려움이 해결되며 평탄해지니 안심할 수 있다. 나이 지긋한 분의 도움을 받거나 조언을 귀담아 들으면 매우 좋은 일이 생긴다. 가족이든 선배이든 이웃이든 두 눈을 크게 뜨고 주변을 살펴봐야 한다. 어디서 도움의 손길이 분명히 오고 있는데 자신만 모르고 있을 수 있다. 귀인이 언제 어디서 나타날지 촉각을 곤두세워도 좋다. 재수와 복을 받는 것도 타이밍이다. 산신도 그 영험한 힘을 함부로 쓰지 않으니 인연이 되는 자만이 그것을 받을 수 있다. 이 카드는 또한 마음을 정갈하게 하고 기도하면 좋은 일이 일어난다는 암시도 함께한다. 그래서 속된 것을 멀리하고 당분간 기도에 전념하라는 조언으로 봐도 된다.

부정적으로 작용할 때의 리딩

남산신 카드가 부정적이라고 보기는 어렵지만 굳이 말을 하자면, 누군가 대단한 욕심을 갖고 있을 때 이 카드가 나오면 모든 계획이 무산되거나 그저 평균 정도밖에 안 된다고 읽을 수 있다. 속세 사람들의 소소한 고민을 잘 들어주시는 산신께서 왜 그렇게 하시는지 이유를 생각해 보면 잘 알 수 있다. 터무니 없는 것은 안 된다는 당연한 이치를 알려주시는 것이다. 주변 사람들이나 가족의 입장을 생각하지 않고 혼자만 잘 먹고 잘살려는 이기적인 욕심이라든가, 남을 해롭게 해서라도 자기가 잘되겠다는 야망에 사로잡힌 인간들은 누가 말리더라도 귀를 막고 안 듣는다. 그러니 누가 혼을 내주시겠는가? 당연히 그 마을을 굽어보고 계시는 뒷산의 산신이신 것이다.

이 카드를 솔루션으로 활용할 때의 리딩

산을 좋아하거나, 절에 가더라도 늘 산신각을 들리는 것을 빼먹지 않는다든가 하는 분들에겐 좋은 일이 생겨난다. 산은 낮은 지면보다 매우 높이 솟아있으니 그 기운은 위로 솟구치는 생기와도 같다. 그러면서도 그 안에 많은 자연을 품고 있으니 인간들에게 경외심을 갖게 하기 충분하다. 그러한 힘이 인격화되어 있는 신이므로 산신은 산과 일체라고 보면 된다. 자신의 아집이나 잘난 척하는 마음이 강할 때 이 산신카드는 제정신을 차리게 해주는 효과가 있다. 그러니 본심으로 돌아가고 초심으로 돌아가야 한다는 신호로 알면 된다. 이 카드를 솔루션으로 선택한다면 매우 심플하고도 당연한 이치를 배우게 될 것이다.

14. 여산신

14. 여산신

고대의 산신은 거의 모두 여자분 이었으며 그 역사가 매우 깊다. 지금도 명산에는 여산신의 흔적이 남아있는데 남산신의 전통은 고려시대에 와서 만들어진 것이라고 한다. 산 아랫마을에 살며 삶을 영위하던 우리 민족에게는 어머니 같은 존재이다.

KEYWORD

웃어른 특히 나이 든 여자 어른이 관여해서 일이 해결된다. 작지만 꼭 필요한 일들, 생각보다 실력자들이 관여한다. 어떤 사건이 발생할 경우 그 원인은 시간을 매우 거슬러 올라가야 할지도 모른다. 너그럽게 대처하는 것이 이롭다.

긍정적으로 작용할 때의 리딩

자애로운 마음을 가지고 대인 관계를 해나가면 만사가 해결되니 매우 이롭다. 남이 싫은 소리를 하더라도 웃어 넘기고 주변인들의 자잘한 실수는 눈감아 주는 것이 결국 자신을 어려운 난관에서 구해주는 열쇠가 될 것이다. 특히 여산신 카드는 의식주의 전반적인 부분을 개선시켜주는 힘이 강하며 나이 드신 여성분의 도움을 받으니 마치 고향에 돌아와 몸과 마음을 위로받는 푸근함을 맛보게 된다. 행복감에 충분히 도취될 수 있는 카드인 셈이다. 이 카드는 그러한 의미에서 당분간 휴양을 하거나 평화로운 분위기에서 속세를 떠난 듯 쉬어야 할 때 나오기도 한다. 자신의 전반적인 부분을 돌아보게 하고 그다음을 걸어 나갈 수 있는 원기 회복의 카드이다.

부정적으로 작용할 때의 리딩

자기 자신만을 추구하거나 좁은 견해를 고집한다면 될 일도 안 된다. 잘난척 똑똑한척 해봐야 도토리 키재기다. 이것을 빨리 깨달으면 그나마 손해를 덜 본다. 하지만 고집을 피우면 작은 눈덩이가 금방 불어나듯이 큰 손해가 될 수도 있다. 그래서 제대로 정신을 차리고 있지 않으면 안 된다. 대수롭지 않게 여기던 문제로 인해서 다 해결된 일이 코 앞에서 좌절될 수 있기 때문이다. 선량한 의지를 가지고 있지 않다면 모양만 부풀리는 일은 결코 성공할 수 없을 것이고 그것은 결국 파국을 맞게 된다. 어린 아이가 어머니에게 외면당하는 것만큼 무서운 일은 없다. 여산신의 역할이 이와 같다. 그러니 여산신의 보호를 벗어나는 것은 유약한 인간에겐 큰 불행이다.

이 카드를 솔루션으로 활용할 때의 리딩

세월이 흐르면서 잊혀져갔으나 원래 산신의 대부분은 여성신이다. 그 자리를 영웅들이나 한 많은 유명인들이 사후에 신이 되었다고 여기게 되면서 남산신이 많이 그 자리를 대신하였을 뿐, 원래는 여산신이 주류이다. 그렇기에 이 카드를 솔루션으로 활용하고자 한다면 가족 중에는 어머니의 말을 잘 들어야 하고 할머니, 또는 누나의 의견을 존중한다면 좋은 일이 있다고 보는 것이다. 밖에 나가서 위대한 일을 한답시고 거들먹거려 보지만 결국 집으로 돌아와서 쉬는 곳은 가족의 품이다. 또 거기서 다시 힘을 얻어서 사람은 앞으로 전진할 수 있다. 그러니 자신의 본래 근거지와 고향과 가족과 근본을 잊어선 안 된다. 그것을 잘 이해하는 사람은 여산신 카드를 솔루션으로 제대로 활용할 수 있을 것이다.

15. 삼불제석

사람의 재물과 수명을 관장하지만 특히 임신, 출산에 관여한다. 집집마다 자손을 내려주는 중요한 역할 하는 신들이며 세 분으로 묘사된다. 또한 우리 무속의 모태이기도 하면서 자손을 점지해주는 능력이 특히 강조되어 왔다. 흰 고깔과 염주를 들고 가사장삼을 입은 모습으로 표현되기도 한다.

KEYWORD

가문을 이어가는 자손의 출생과 밀접한 관련이 있으며 인생 초반의 길흉화복을 관장한다. 가족 간의 일, 조상과 관련된 일이라고 봐야한다. 집안의 큰 어른 특히 나이든 여자분, 청정하고 성스러운 사람 또는 그런 장소 전통적인 일과 관련된다. 집안이 번영하는 것도 삼신과 밀접한 관련이 있다.

긍정적으로 작용할 때의 리딩

대인 관계의 어려움이 풀어진다. 등을 돌렸던 사람들끼리도 뉘우치고 화해하는 흐뭇한 광경이 연상된다. 석 삼(三)이라는 숫자는 매우 신비한데 여러모로 완전하다는 뜻도 있고 다수의 사람들이 뜻을 합하여 이룬다는 의미가 있다. 그래서 팀웍을 발휘해야 할 때 무엇보다 좋은 카드이다. 서로 마음을 합하지 않으면 원대한 꿈은 시작부터 삐그덕 대고 이루기 쉽지 않다. 그러므로 이 카드는 가족간의 화합, 직장에서의 화합으로 매우 좋은 결과가 나온다. 동업이나 새로운 파트너를 만날 때 에도 더 없이 좋다. 자신 혼자 잘나보이겠다는 욕심만 부리지 않는다면 일은 어느 정도 자연스럽게 흘러갈 것이다.

부정적으로 작용할 때의 리딩

이 카드는 자신이 혼자 독립적으로 무엇인가를 하려고 하거나 계획을 잡고 있을 때는 그다지 이롭지 않다. 혼자서 해낼 수 없을 뿐만 아니라 그럴 때도 되지 않았다. 그렇기 때문에 타인의 조력을 감사하게 여기고 힘을 합해서 이루어 가야한다. 그럼에도 불구하고 자기 혼자서 일을 무리하게 추진한다면 좋았던 인연들도 모두 등을 돌리게 되니 심사숙고 하는 것이 좋을 것이다. 이 카드는 자연의 이치를 설명해주기도 한다. 자연스럽게 일을 해나가고 순리대로 하는 것에는 만사가 이롭지만 그것을 거스를 때는 대세를 거역하는 쓴맛을 보게 될지도 모른다. 자신의 최근 태도가 어떠한지를 반성해보자.

이 카드를 솔루션으로 활용할 때의 리딩

우리나라 전래의 삼신과 불교에서 들어온 제석이 결합하여 독특한 삼불제석으로 화했다. 그러한 연고로 인간의 수명을 늘려주고 가업을 일으키게 해주시는 신으로 유명하다. 집안 가족이 화합하지 않거나, 자손이 귀해서 태어나는 아기가 적다거나 수명이 짧을 때 이 카드는 매우 적절한 솔루션을 진행할 수 있을 것이다. 사람은 자신이 태어난 순간을 기억하지 못하고 스스로 잘나서 태어나는 줄 아는 어리석고 오만함으로 똘똘 뭉친 존재이다. 그것은 망각의 병때문인데 이것을 깨닫게 해주시는 아주 유능한 카드가 되겠다.

16. 팔선녀

금강산의 8선녀 전설이 모태이며 사냥꾼이 한 선녀의 옷을 훔쳐서 하늘로 올라가지 못하게 하여 가정을 이루고 살기는 하였으나 후에는 낳은 아이들을 데리고 하늘로 돌아가게 되었다는 전설도 있다. 선녀들은 매우 아름다운 존재들로 하늘나라에 속한 존재들이었으나 속세가 궁금하여 내려오곤 하였다.

KEYWORD

어울리지 않는 결합, 우연한 횡재, 결말이 뻔히 드러나 있는 관계이다. 한때의 인연, 제자리로 돌아가게 됨. 운명적으로 얽히게 되는 매우 사적인 일을 암시한다. 지금 얽히는 사건이나 사람들은 시절 인연으로 보아도 좋을 것이다.

긍정적으로 작용할 때의 리딩

팔선녀는 즐거움과 기쁨의 신들이다. 한 명으로도 흥에 겨운데 여덟 명이니 기운이 매우 상승된다. 자신의 직업적인 부분이나 역할에 대해서 그런 부분이 요청된다면 좋은 카드로 볼 수 있다. 남을 즐겁게 만들어주는 직업을 하고 있다면 더욱 좋다. 친구들과 즐거운 시간을 보내거나 여행을 가거나 파티를 기획할 때도 이 카드는 많은 아이디어를 준다. 인생을 마냥 심각하게 살아갈 필요는 없다. 때로는 무거운 짐을 벗어버리고 철없는 어린이처럼 뛰어노는 것도 중요하다. 그렇게 스트레스를 해소하고 나면 다시 일상으로 돌아왔을 때 더 집중할 수 있을 것이다.

부정적으로 작용할 때의 리딩

나이를 어느 정도 먹고 나면 사람이란 철이 들기 마련이다. 그런데 아무리 나이를 먹어도 어린애 같은 취미를 좋아하거나 떼를 쓰는 등, 성격이 어른스럽지 못한 사람들이 있다. 이들이 팔선녀다. 남이 어려운 것은 조금도 생각하지 않고 자기가 좋으면 남도 다 좋은 줄 안다. 자신이 즐거우면 남도 즐거운 줄 안다. 제대로 된 이익을 손에 넣지도 못하면서 부화뇌동해서 설쳐대기도 한다. 그 덕에 남이 이익을 가로채기도 한다. 그러니 이 카드는 실속이 없고 철부지이면서 성실하지 못하다는 인상을 주기 딱 좋은 것이다. 옆에서 조언을 해준다고 해서 해결될 문제가 아니다.

이 카드를 솔루션으로 활용할 때의 리딩

이 카드는 젊은이들이나 사춘기의 청소년들에게 잘 맞고, 그다음은 연예계 종사자들에게 필요한 카드라고 보겠다. 이들은 자신의 감각을 믿고 기예를 학습해 나가기도 하고 때 따라선 그런 것이 요구되는 직업에 종사할 수도 있기 때문이다. 그리고 명랑하고 즐거운 분위기를 가진 사람들에게도 잘 맞다. 이 카드를 키워드로 사용하고자 한다면 긍정적이고 밝은 분위기가 필요시 되는 장소와 역할에 안성맞춤이다. 어린이들이 다수 사용하는 장소, 사람들이 한때의 즐거운 관람을 하기 위해 모여드는 극장 등등 여러가지에 응용해 볼 수 있다.

17. 도깨비

17. 도깨비

전래 이야기에 단골로 등장하며 여러 이름으로 불려진다. 보이지는 않고 소리만 내는 도깨비도 있고 모습을 드러내는 도깨비도 있다. 장난기가 많아서 엉뚱한 짓을 저지르기도 하고 성격은 거친 편에 속하며 미련하기도 하고 건망증이 있으되 순진한 면도 있다. 음주가무를 좋아한다.

KEYWORD

혼란스러운 일이 일어난다. 일의 결말을 예측하기가 어렵다. 판세가 돌변한다. 좋았던 일은 나빠지고 나빴던 일은 다시 좋아진다. 횡재수가 있다. 현실적이지 않은 일이 생긴다. 앞뒤가 맞지 않은데도 홀린 듯이 실수를 저지르게 된다. 유흥과 관련된 일. 양면적이다.

긍정적으로 작용할 때의 리딩

세상 만사가 늘 한결같아서 지겨울 때 가장 반가운 카드가 도깨비이다. 엉뚱한 마술로 사람을 괴롭히기도 하고 도와주기도 하는 등, 다양한 모습의 도깨비는 종잡을 수 없는 부분이 매력이다. 지금 현재 처해져 있는 상황이 갑갑하고 권태로워서 어떻게든 반전이 필요할 때 이 카드는 강력한 도구가 생겼음을 알려주는 신호이다. 자의로든 타의로든 혹은 땅의 기운에서 그런 반응이 솟아나오든 간에 이제 난처했던 상황의 돌파구가 보이는 것이다. 이 도깨비는 당신 자신일 수도 있고 도깨비 같은 귀인을 만나는 것을 상징하기도 한다.

부정적으로 작용할 때의 리딩

일관성 있게 살아가는 것이 당신의 목표라면 도깨비만큼 골치 아픈 존재도 없다. 자신의 주변에 도깨비의 기운이 느껴지거나 혹은 도깨비 같은 사람을 만나서 정신을 빼앗겨버린다면 정말 난처해질 것이다. 살다 보면 평소에 합리적으로 잘 판단하던 것도 혼란스러워 하면서 우왕좌왕하게 될 때가 생긴다. 그런 힘이 느껴지는 사람을 만나거나 그런 장소에 갔을 때도 마찬가지다. 정신이 산만해지고 집중하기 어렵게 된다. 게다가 도깨비 카드는 평소에 잘 겪어보지 못한 것을 상징하기에 지금까지 한 번도 만나보지 못한 낯선 환경과 그런 인물을 상징하기도 한다. 모르는 곳으로 여행을 떠나기 좋아하는 사람들도 한번쯤 고려해 볼 만한 카드이다.

이 카드를 솔루션으로 활용할 때의 리딩

어차피 도깨비 카드가 나왔다면 순리를 따라가는 것이 좋다고 말해주고 싶다. 대세가 그렇게 흐르고 있는데 화내본들 소용이 없다. 바람이 거세어진다면 혹시 비가 올 수도 있으니 안전한 곳으로 피하는 건 당연하다. 그래서 도깨비를 솔루션으로 쓸 때는 약간의 주의와 집중력을 요한다. 모든 절차가 다 공식적으로 완료된 일이라고 하더라도 변수가 있으며, 잘 알고 지내던 지인이 다른 인격체가 된 것처럼 얼굴을 바꿔서 싸움을 걸어올 수도 있는 것이다. 그러나 다행인 것은 이 갈등이 길지는 않다는 것이다. 도깨비는 원래 인내력이 부족하고 건망증이 많다는 것으로 위로를 삼도록 하자.

18. 구미호

꼬리가 아홉 개가 달린 여우로 신통력을 지니고 있다고 하며 이 신통력은 남을 이롭게 하기도 하지만 해롭게도 한다. 손에 든 구슬은 그 힘을 나타낸다. 미모의 여인으로 둔갑하기도 한다.

KEYWORD

신통한 일의 변화, 사건이 한 가지로 진행되지 않고 여러 가지 양상으로 변화된다. 득과 실을 구분하기 어려움, 매혹적인 존재, 일반적인 판단으로 결론내기 어려우니 신중하게 지켜보아야 한다. 재물과 연애에 있어서는 나쁘지 않다. 신비한 현상이 일어난다. 양면적이다.

긍정적으로 작용할 때의 리딩

한 가지 재능으로 우직하게 살아가더라도 성공이 보장된 세상이면 좋겠지만 현대는 너무나 빠르게 발전하고 있고 제대로 적응하지 않으면 안 된다. 그럴 때 이 카드가 나온다면 반갑다. 구미호는 꼬리가 아홉인데 그만큼 변신이 자유자재라는 뜻이다. 연예인이 되고 싶은 사람이나 다양한 역할을 소화해야 하는 사람에게는 필수적이기도 하다. 또 사람들에게 자신의 속마음을 쉽게 들키지 않는 재주가 있어서 요즘같이 복잡한 세상에는 필수 조건일지도 모른다. 연애에도 능숙해서 상대방의 마음을 잘 사로잡는다. 자신의 매력을 어필하는데 매우 유능하기에 웬만해서는 다른 사람보다 우위의 위치를 차지하는 편이다.

부정적으로 작용할 때의 리딩

여러 개의 얼굴을 가지고 있기 때문에 솔직한 인상을 주기 어렵다. 대인 관계에 있어서도 마찬가지다. 어느 것이 본심인지, 어느 것이 본래의 얼굴인지 알기가 어렵기 때문에 신뢰하지 못한다는 평가를 받을 수 있다. 물론 자신이 어떻게 처세를 하고 사느냐에 따라 호불호가 갈라지기는 하겠으나 다수 대중으로부터 믿음을 이끌어내기는 조금 힘든 부분이 있다. 이 카드가 나온다면 남들을 위해서 자신을 희생하는 우직한 리더의 이미지로 보기는 어렵다. 아랫 사람을 통솔하는 대표자의 위치도 마찬가지다. 사람들은 구미호의 재능을 사랑할 뿐 그 사람 자체를 좋아하지는 않는 양면성도 갖고 있기 때문이다. 제아무리 구미호라고 해도 안되는 부분이 존재하는 셈이다.

이 카드를 솔루션으로 활용할 때의 리딩

난제를 해결할 때 구미호 카드는 제 실력을 발휘한다. 작은 방법을 발견해내고 난관을 돌파하는 것이다. 남들이 전혀 예상하지 못한 방법, 천재적인 방법을 알아내는 재주이다. 만일 자신의 옆에 이런 사람을 보좌관으로 두고 있다면 성공은 이미 예정된 것이다. 그만큼 탁월한 재능의 소유자를 나타낸다. 따라서 이 카드를 솔루션으로 쓰고자 한다면 어떤 명예나 이념같은 이상적인 목표를 내세울 것이 아니라 실제 싸움에서 승리하거나 실속을 챙기는 부분을 목표로 만드는 것이 더 낫다. 구미호 카드는 실제로 실력을 발휘하는 현장감있는 카드이다. 뒷짐을 지고 앉아서 체면이나 차리려고 할 때 이 카드를 솔루션으로 리딩한다는 것은 앞뒤가 안   다. 그렇다면 이 카드의 상징인 인물은 아무런 역할도 할 수 없을지도 모른다.

19. 이국의 신

19. 이국의 신

무역과 문물교류가 활발하던 시기에 들어온 외국의 사절이 신으로 형상화 되었다. 자신들의 본향에서도 어느 정도는 지위와 영토를 거느리고 살던 존재들로서 동양인이 볼 때는 특이한 취향과 재주를 가진 것으로 여겨진다. 팔에 앉은 앵무새는 남을 그대로 따라하는 재주 외에도 이 신이 원하는 대로 모습을 바꾸어 심부름을 하기도 한다.

외국과 연관된 일, 또는 사업, 먼 거리의 여행. 전통적이지 않은 것과 연관이 있다. 변화무쌍하며 새로운 것을 받아들여야 할 시기이다. 앞서가는 사람, 신문물 상징. 특이하거나 남다른 취향의 업무나 사람과 연결되며 그다지 나쁘지 않다. 주변 사람들의 시선보다는 자신의 관점에서 움직이는 것도 나쁘지 않다.

긍정적으로 작용할 때의 리딩

외국 여행, 외국 출장, 이민 등의 다양한 경우를 예상해 본다. 이 카드는 외국과의 거래나 무역을 통해서 이익을 얻거나 외국 사람들과 교제하고 일을 할 때도 매우 긍정적인 카드이다. 자신이 태어난 곳보다는 오히려 외국에서 성공의 바람이 불어오고 있음을 알려주는 것이다. 취향도 이국적인 면이 더 좋을지도 모른다. 외국의 산물을 국내에 도입하고 알리는 부분도 예상해 볼 수 있는데 전혀 새로운 외국의 과일을 들여와서 유통하거나 외국의 음식을 만들어서 파는 가게도 거기에 속한다. 또는 우리나라의 브랜드를 외국으로 수출하는 것도 같은 연장선상에 있다. 국제 결혼에도 매우 유리한 카드이다.

부정적으로 작용할 때의 리딩

잘못 작용하게 되면 주체성이 없는 사람으로 전락하게 된다. 이것도 저것도 아닌 상황이 되는 것이다. 아무리 외국을 밥먹듯이 드나드는 사람이라고 해도 결국 한 곳의 거처는 필요한 법이다. 나이가 들어서까지도 그것을 결정하지 못했다면 매우 고단한 노년을 보내게 된다. 따라서 이 카드는 젊은이들에게는 좋은 카드이지만 중년 이후의 사람들에게는 많은 것을 염려하게 하는 카드이기도 하다. 노인들은 먼 곳으로의 여행도 무리가 될 때가 많기 때문이다. 한때 전 세계를 누비던 사람도 노년이 되면 한곳에 정착한다. 그러므로 이 카드를 리딩할 때는 주의를 요한다. 또한 어느 곳에도 마음을 주지 못하는 불안감을 상징하기도 한다.

이 카드를 솔루션으로 활용할 때의 리딩

자신의 미래를 위해서 과감한 투자를 하려 할 때 이 카드가 나온다면 생활 반경을 더 넓히라고 하는 것을 알 수 있다. 머나먼 외국을 나타내고 있기 때문에 폭 넓은 사고와 행동감각을 익혀야 하는 것이다. 지금은 우물안의 개구리일 수 있으니 안목을 넓히고 자신이 앞으로 하려고 마음먹은 계획이 지극히 좁은 것이 아닌가 돌아보면 좋겠다. 이 카드는 더 넓게 나아갈수록 좋다는 뜻이다. 큰 도로가 잘 놓여져 있는데 굳이 자전거로 가겠다고 고집을 피우는 것은 어리석다. 그럴 때는 자동차로 달리는게 더 낫고 합리적이다. 어쩌면 비행기를 타는게 더 나을 수도 있겠다.

20. 외국의 무녀들

20. 외국의 무녀들

이국적인 의복의 세 무녀가 도구를 들고 신을 맞이하기 위해 앉아 있다. 이들은 단순히 기도만 하는 것이 아니라 춤과 노래와 악기를 연주하여 신을 기쁘게 하는 역할도 담당하였다. 화려한 의복이 우리나라의 무녀와는 사뭇 다르다.

KEYWORD

즐겁고 흥겨운 나날이 당분간 지속된다. 큰 소득은 없으나 자잘한 이익을 가져다주는 사람들과 만난다. 미래를 위해서 사교적인 모임에 자주 나가는 것도 나쁘지 않다. 예술과 관련된 일, 유흥과도 연관된다.

긍정적으로 작용할 때의 리딩

자신의 입장이 누군가를 보좌하거나 모시고 있는 경우라면 이 카드는 매우 좋다. 꼭 일인자가 꼭 되지 않는다고 하더라도 자신의 지위는 매우 높은 편이며 따라오는 부수적인 이익도 상당하다. 그래서 오히려 일인자가 짊어지는 책임 면에서는 자유로우니 정신적인 스트레스에서도 한결 낫다. 이 카드는 세 명이 등장하는 삼불제석 카드와 유사한 면이 있어서 협업을 상징한다. 셋이 모이면 완벽체를 구성한다고 본다. 또 한 명 보다는 여러명이 힘을 합쳤을 때 강한 위력을 발휘하고 많은 효과가 있다. 팀워크가 중요시될 때 이 카드가 나온다면 반가울 것이다.

부정적으로 작용할 때의 리딩

이 카드는 게으른 자들에게는 아무런 도움도 주지 않는다. 그래서 팀워크로 일을 할 때 혼자 딴청을 피운다든지 다른 팀원들이 해놓은 업적으로 자신도 슬그머니 먹고 살려고 생각한다면 착각이다. 이 세 명의 여신은 하나의 운명공동체로서 활동한다는 의미가 있다. 그만큼 성실하고 부지런하지 않으면 안 된다. 또한 불평불만이 많은 자들에게도 관대하지 않다. 자신의 평소 생활 습관을 돌아보고 어떠한지를 반성해봐야 할 것이다. 또한 자신의 사업을 스스로 하려고 나선다거나 다른 이들의 공적을 마치 자신의 것으로 하려고 한다거나 할 때도 아무런 결과가 없다.

이 카드를 솔루션으로 활용할 때의 리딩

이 카드는 무나카타 삼여신 전설에 근거하고 있다. 바다의 신이기도 하고 화려한 춤과 노래로써 신을 섬기는 역할도 함께한다. 또한 이 카드는 물을 상징하므로 이것을 주로 활용하는 사업장에서 매우 이롭다. 예를 들어 목욕업, 호텔, 수산시장, 카페 등등 물을 베이스로 해서 자신의 삶을 이어가야 할 때 유리하다. 이 세 여신은 사업을 흥하게 해주는 역할을 하고 있기 때문에 근면한 사람들에게 복을 준다. 집에 가만히 앉아서 소극적으로 생활하는 이들에게는 아무런 도움을 주지 못할 수도 있다. 또한 이 세 여신은 자신의 사명을 받아서 각각의 지역을 할당받았을 때 아무 불만도 없이 그 역할을 잘 수행해 냈다는 전설이 있다. 그러니 어떤 일과 사명을 받았을 때 성실히 수행하는 자들의 수호신인 셈이다.

21. 선녀

사람들이 차려놓은 제물을 받고 있는 선녀가 기도를 올리는 모습에서 신령스러움
이 느껴진다. 천진난만하지만 사람의 예법과는 다르며, 신들과 사람사이의 전령
역할을 하기도한다. 높으신 신들 옆에서 시중을 들기도 하지만 속세로 내려와서
가끔 활동하기도 한다.

KEYWORD

젊은 사람, 나이가 조금 어린 사람과 연관된 일, 젊은 여인일 수도 있다. 그다지 나쁘지 않은 일이지만 경솔하
게 처신 해서는 안 된다. 도중에 변덕 변심이 일어날 수 있다. 실권자가 아닌 제2인자의 일이다. 남의 말을 잘
들어서 귀가 얇아질 수도 있겠다.

긍정적으로 작용할 때의 리딩

혼자 독자적으로 활동하지 않고 높은 신들을 옆에서 보좌하는 역할을 주로 하는 분이 선녀이다. 그래서 자신의 처지를 잘 알고 처신한다면 해를 입을 일도 없고 오히려 안전하며 큰 손해를 보지 않는 것이 이 카드의 장점이다. 원래 자신이 하던 일을 계속해 가려고 할 때도 좋은 의미로 읽을 수 있으니 큰 변화를 주지 않고 현상유지를 할 때 매우 긍정적인 카드로 보면 된다. 지속적이고 평상적인 안정감을 주는 것에 좋게 작용하기 때문에 리딩을 할 때도 그렇게 적용해보면 된다. 선녀 카드가 긍정적으로 잘 작용할 땐 남의 조언을 잘 받아들인다.

부정적으로 작용할 때의 리딩

자신이 뭔가 대단한 인물이라도 되는 양 착각하는 사람들에게도 가끔 이 카드가 나오곤 하는데 그래봤자 부처님 손바닥 안이다. 주제 파악을 하지 못한다는 경고의 의미로 받아들여야 한다. 매우 강인해 보이는 사람들에게서 이 카드가 나온다면 의외로 나약하고 속마음으로는 갈등과 번민과 걱정이 많음을 알 수 있다. 외강내유의 카드이다. 그렇기 때문에 자신의 능력에 걸맞지 않게 일을 크게 벌이거나 한다면 수습이 불가능해진다. 자신이 딱 알맞게 해결할 수 있을 만큼만 일을 확장하는 것이 좋다. 하지만 선녀 카드는 부정적으로 작동하면 잘 토라지기도 하고 남의 말을 안 들으려 하는 경향이 있어 늘 주의를 요한다.

이 카드를 솔루션으로 활용할 때의 리딩

이 카드는 가벼운 언행을 조심하고 신중하게 행동한다면 큰 위해를 입을 일이 없으므로 안전한 카드에 속한다. 그래서 자신의 솔루션으로 이 카드가 나와서 리딩을 한다면 현실을 직시하고 스스로에게 솔직해야 함을 알 수 있다. 또한 상담을 하는 선생에게도 속마음을 다 털어놓는 것이 좋다. 감추고 포장을 해본들 결과는 같기 때문이다. 선녀 카드는 주변에서 도움을 잘 받을 수 있을 때도 자주 나온다. 그러니 솔직함이 자신의 가장 강력한 무기이다. 자신의 머리로 이것저것 방편을 아무리 쥐어짜본들 되는 일이 없으므로 귀인의 도움을 받도록 하자. 또 선녀 카드는 유동적이기 때문에 완고하지 않은 그 성격때문에도 위험에서 벗어나곤 한다.

22. 동자

화로에 찻주전자를 끓이고 있는 동자, 누군가에게 곧 차를 올려야 하는 모습이다. 매우 경건하게 자신의 본분을 다하고 있다. 신이지만 조금 젊은 신이며 성실하게 역할을 수행하려고 한다. 신들과 사람 사이의 전령 역할을 자주 한다.

KEYWORD

젊은 사람, 나이가 조금 어린 사람과 연관된 일, 젊은 남자일 수도 있다. 그다지 나쁘지 않은 일이지만 경솔하게 처신해서는 안 된다. 도중에 변덕이나 변심이 일어날 수 있다. 실권자가 아닌 제2인자의 일이다.

긍정적으로 작용할 때의 리딩

선녀 카드와 같이 높은 신들의 시중을 들고 심부름꾼의 역할을 하는 동자이다. 그래서 지금은 비서관 같은 역할로 생각해보면 이해하기가 쉽다. 자신이 그런 일을 하고 있다면 몸에 딱 맞는 옷을 입은 셈이다. 동자는 사실 걱정이 없다. 윗사람이 중요한 것은 알아서 해결을 해주시기 때문이다. 높으신 신들이 알아서 다 해주시는 것과 마찬가지다. 동자는 자신의 역할만 잘 해도 좋다. 게다가 윗사람들의 귀여움을 받으니 그것도 행복한 일이다. 언제 어떤 모습으로 살아가건 자신의 주제 파악을 잘 하는 것은 행운과 행복의 기본이다.

부정적으로 작용할 때의 리딩

큰 회사의 대표라고 하는 사람에게서 동자카드가 나온다면 그것은 불길한 일이다. 큰일을 결정해야 하고 아랫사람들의 생계를 책임져야 하는데 이런 카드가 나온다면 그의 결정은 매우 위태위태하다고 본다. 또는 주변에 그를 도와주어야 할 사람이 부족함도 알 수 있다. 동자 카드는 사랑스럽지만 분에 넘치는 일이나 역할을 해야할 때 나온다면 좋지 않다. 평소에 잘 해오다가도 이 카드가 나온다면 심신이 쇠약해져 있거나 판단력에 문제가 생겼다고 볼 수 있다. 그래서 어서 다른 이들의 도움을 받아야 하고 냉정한 조언을 필수적으로 들어야 한다고 보여진다.

이 카드를 솔루션으로 활용할 때의 리딩

동자의 의미는 심각한 것은 아니다. 그렇기에 본인이 저지른 일이라고 하더라도 그 수위가 높지 않으며 남에게 큰 피해를 주는 것도 아니다. 소소한 것들이라고 봐야한다. 하지만 성가신 부분은 반드시 있게 마련이다. 늘 동자로 보여진다면 사람들로부턴 성숙하지 못한 사람이라는 평가를 받을 것이며, 그에게 큰 업무는 맡기려하지 않을지도 모른다. 그래서 이 카드를 솔루션으로 쓰고자 한다면 한동안은 나서지말고 음지에서 실력을 기르고 남을 배려하도록 한다. 이렇게 힘을 기르고 나면 나중에 좋은 기회가 꼭 오게 마련이다. 바빴던 자신에게도 약간의 여유를 허락하는 것도 좋다. 자신을 돌아보는 시간인 셈이다.

23. 동방지국천왕

23. 동방지국천왕

수미산 중턱에서 동쪽을 관장하고 있는 천왕이며 권선징악을 담당하고 불법을 지키고 수호한다. 인간이 평화로운 생활을 하고 있는지 살펴주며 국토를 지킨다는 의미 또한 갖고 있다. 사천왕(四天王) 중의 한 분이시다. 색깔은 푸른색이다.

KEYWORD

일이나 인물에서 동쪽과 관련되어 있을 가능성이 높다. 해가 떠오르는 곳으로 모든 일의 시작이며 희망이고 씨앗을 상징한다. 부동산에 관련된 일이 발생하며 그다지 나쁘지 않다. 땅은 밝은 곳, 해가 드는 곳.

긍정적으로 작용할 때의 리딩

내 것을 잘 지키고 내 가정을 잘 돌보자는 의미이다. 저 멀리 눈을 돌리고 머나먼 이상을 향해서 나아가는 것도 좋지만 당장 자신을 돌보지 못하면 의미가 없다. 그래서 이 카드가 나온다면 자신의 것은 빼앗기지 않고 잘 보전할 수 있다고 여기면 되니 불안감에서 해방된다. 작지만 평화로운 나의 집, 나의 방, 직장의 내 작은 공간 등등 자신이 몸담을 수 있는 그곳이야말로 발전의 시초이고 가장 근본이 되는 셈이다.

부정적으로 작용할 때의 리딩

자신의 영역 이외의 것에는 관심이 없거나 무시하려는 경향을 보인다. 그것을 나쁘다고 딱 꼬집어 말할 수는 없지만 이 세상이 발전되고 있는 것은 그나마 자신 이외의 세상에도 기여하려는 일말의 관심들이 모여서 이루어진 것이다. 그래서 이 카드가 부정적으로 작용하게 된다면 지나친 이기심, 자신과 자신의 가족 외의 불행에는 무관심하며 발전적인 기회가 있다고 하더라도 모험하려 하지 않는 비굴함을 보이기도 한다. 언제나 현재의 삶이 유지될 것이라는 확고부동한 믿음 때문에 미래를 위해 준비하지 않는다. 예를 들자면 옆집 담벼락에 금이 가서 무너진다면 모두에게 위험한데도 당장 우리 집의 문제는 아니라고 생각하는 안일함이다.

이 카드를 솔루션으로 활용할 때의 리딩

파랑새를 찾아서 멀리 갔지만 그것은 결국 자신의 집에 있었다는 동화가 떠오른다. 이 카드는 자신의 가장 근간이 되는 생활과 생계, 가족구성원에 대한 보호와 안전 등에 대해서 집중할 때 좋다. 그래서 이 카드를 솔루션으로 리딩을 할 때도 그러한 연장선상에서 이해하면 된다. 남과 비교하거나 다른 집의 살림살이와 비교해본들 다 소용없는 짓이다. 남이 내가 될 수 없고 나는 나의 인생을 사는 것이다. 자신의 정원에 자라고 있는 잡초를 손 볼 생각은 않고 남이 잘 가꾸어놓은 꽃밭을 탐내는 것은 아무 쓸모도 없다. 지혜로운 사람은 자신에게 주어진 작은 행복에도 감사하는 사람이다.

24. 남방증장천왕

24. 남방증장천왕

방향으로는 남쪽을 상징하며 역시 사천왕 중의 한 분이다. 색깔은 적색이다. 증장이란 자꾸 늘어난다는 표현이며 사람들의 이익을 증대시켜주고 만물을 살리며 번영하게 하고 더욱더 번져가는 의미가 있다. 해가 따뜻하게 비추는 곳에서 자연의 생명이 자라나는 이치와 같다고 보겠다.

KEYWORD

지나친 욕심은 화를 부르니 과욕하지 않도록 주의해야 한다. 자신의 욕망이 자기 자신을 집어삼키는 결과를 낳을 수도 있다. 재물이 늘어나고 주변 사람이 늘어나게 되니 한동안 행복할 수도 있다. 이럴 때일수록 미래를 준비하고 인정을 베풀어야 하겠다.

긍정적으로 작용할 때의 리딩

기존 근거지를 벗어나서 세력을 확장하고 싶을 때 매우 좋은 카드이다. 증장은 늘려나간다는 뜻인 만큼 활동 영역이 넓어지는 것은 발전을 뜻하기도 한다. 늘 제자리 걸음만 하면서 평생을 사는 것에 만족하는 사람도 있으나 자신의 능력을 시험하기 위해 기회를 잡아서 도약하는 것을 즐기는 사람도 있다. 이 카드는 그런 사람에게 잘 맞는 운이 왔음을 알려주는 신호탄이다. 갑자기 행운이 와서 안 될 일이 이루어지는 것이 아니라 언제나 준비를 하고 있었기 때문에 기회를 잡는 것이다. 그러므로 꾸준히 자신의 미래를 위해 기다리고 있던 사람에겐 더할 나위 없는 카드이다.

부정적으로 작용할 때의 리딩

회사든 가족이든 식구가 늘어나고 규모가 커지면 감당할 수 있는 역량이 반드시 필요하다. 그렇기에 리더는 고민이 많아질 수밖에 없고 대처방법을 찾아야 한다. 만일 그렇지 못한다면 부피만 늘어나고 무게중심을 잡을 수 없어서 쓰러지게 된다. 이 때 잃게 되는 손해라든가 상처라든가 하는 것은 상상 이상이 될 수도 있다. 자신의 능력만 믿고 일을 벌이다가 망하게 된다거나, 남 앞에서 큰소리 치면서 실컷 과시만 해놓고 나중에 뒷수습을 못해서 망신살이 뻗칠 수도 있다. 이 카드는 그런 상황에 경각심을 일깨워주며 경고를 보내고 있는 것이다.

이 카드를 솔루션으로 활용할 때의 리딩

미래를 향해 나아가는 사람들에겐 자기 확신 부족과 불안이 함께한다. 가장 큰 적은 밖에 있는 것이 아니라 내면에 존재하는 지도 모른다. 그런 것에 대해서 이 카드는 매우 우호적인 솔루션을 제공해준다. 리더의 자리는 외롭다. 그래서 혼자 결정해야 할 때가 반드시 있다. 그럴 때 이 카드가 나온다면 자신을 믿고 걸어가야 하는 운명을 받아들이게 됨을 알 수 있다. 주변을 두리번 거리면서 두려움에 망설이고 있을 때도 시간은 흘러가고 있다. 남들의 주목을 받고 있으며 어떤 실적을 눈앞에 내놓아야 하는 때는 모든 에너지를 집중해야 한다. 이런 경험을 계기로 사람은 성숙해진다.

25. 서방광목천왕

25. 서방광목천왕

사천왕 중의 한 분이며 선과 악을 살펴 심판하는 천왕이다. 방향은 서쪽과 관련이 있다. 색깔은 흰색이다. 광목이란 눈이 크다는 뜻인데 그만큼 세상 속의 일을 세세히 넓게 보신다는 뜻이다. 부하로 용을 거느리기도 하는데 그 입에서 나온 여의주를 취하기도 한다.

KEYWORD

사건이나 사람을 편파적으로 보지 않고 다양한 시각에서 볼 줄 알아야 한다. 선한 것과 악한 것의 결말이 반드시 있다. 그러나 시기적으로는 금방 해결이 안 될 수도 있다. 상대방의 카드 에서 이 카드가 나온다면 대단한 안목의 소유자이며 나를 파악하고 있다. 여의주, 즉 재물이 나 성공적인 결과를 손에 틀어쥔 실무자이자 주요 인물일 가능성이 있다.

긍정적으로 작용할 때의 리딩

이 카드가 긍정적으로 작용할 때는 평소에 눈치채지 못했던 일에 대해서 알아챌 수 있는 계기를 마련해준다. 예를 들면 키우던 강아지가 어딘가 아픈것 같다거나, 가족이 고민이 있어 보인다거나 회사직원에게 문제가 발생했다거나 하는 것이다. 더 나아가서는 우연히 자신이 운영하는 가게를 잘 지켜주던 CCTV가 고장난 것을 알아차리게 되거나, 믿고 있던 직원이 횡령하는 것을 발견하게 되기도 한다. 일상의 생활이라는 것은 사실 무료하고 늘 그렇듯이 변함없는 모습으로 흘러가는 것 처럼 보여서 위험을 감지하기가 쉽지 않다. 그러나 삶의 위기는 그러한 것에 스며들어 있는지도 모른다.

부정적으로 작용할 때의 리딩

두 눈을 부릅뜨고 있는 모양새가 편안해 보이지 않는 카드이므로 부정적으로 작용할 때는 상대방에게 위협적으로 보인다는 점이 있다. 상대방은 늘 감시를 당하는 것 같은 느낌을 받거나 잘못한 일이 없는데도 지적을 당할 것 같아서 조마조마하다. 말투나 행동이 모두 그럴 수 있으니 자신의 생활습관을 돌아보는 것이 좋을지도 모르겠다. 특히 어떤 계약을 하거나 협력을 해야 할 때 이 카드가 나온다면, 물론 하자가 없는지 자세히 보라는 뜻으로 해석할 수도 있지만 한편으로는 상대로부터 원조를 얻어내거나 도움을 받아야 할 때는 오해를 불러일으키는 태도로 자신이 행하고 있지나 않은지 돌아봐야 할 것이다.

이 카드를 솔루션으로 활용할 때의 리딩

사람이란 존재는 완전하지 않아서 아무리 주변을 살펴본다고 해도 꼭 실수를 하기 마련이다. 그래서 인간적이라는 표현이 필요한지도 모르겠다. 아무리 여러번 확인을 해도 꼭 빠트린 것이 있고 놓친 것이 있다. 그러므로 이 카드를 솔루션으로 리딩을 할 때는 시야가 확장되어서 평소에 모르던 것을 알아챌 수 있는 절호의 찬스라고 보고 최선을 다하도록 한다. 그렇다면 시간이 흐르고 나서 후회할 일도 적어질 것이다. 주변의 평가 따위는 이럴 때 잠시 스위치를 꺼두어도 좋다. 남이 뭐라고 하든 일단 나에게 주어진 역할에 최선을 다하고 실수를 줄이기 위해 일에 전념하는 것은 매우 중요하다.

26. 북방다문천왕

부처님의 설법을 가장 많이 들으면서 불법을 수호하는 천왕이며 암흑계를 관리한다. 야차와 나찰을 부리는데, 야차는 민첩하고 유흥과 환락적인 존재로 그러한 일을 주관하고 숲이나 음습한곳에 살고, 나찰은 두려운 존재라는 뜻으로 혈육을 먹고 탐낸다고한다. 이러한 자들을 부리면서 천왕은 인간계를 다스린다. 색깔은 검정이다.

KEYWORD

유리할 때는, 나보다 못한 자들을 잘 관리하는 직업에도 능할 수 있다. 유흥 관련. 그러나 불리할 때는 빨리 빠져나오지 않으면 너무나 힘들게 될 수 있다. 부동산에 관련된 일이 발생하며 북쪽일 가능성이 높고 어두운 곳이 되거나 일반인들이 접근하기 힘든 사업이거나 그러한 일에 연루된다.

긍정적으로 작용할 때의 리딩

주변 사람들로부터 많은 정보를 듣고 취합하면 합리적인 결과를 도출할 수 있는 카드이다. 지금 어려운 일이 있거나 아니면 다른 선택을 해야하는 기로에 서 있을 때 이 카드가 나온다면 충분한 정보 수집이 가능하다는 말이다. 여기저기서 자료를 모으고 작은 것이라도 귀기울여 본다면 결국 자신의 문제점을 해결할 수 있는 셈이다. 또한 이 카드는 사천왕 중에서도 큰 형님 뻘에 해당하는 카드이기 때문에 아랫 사람들로부터 추종을 받거나 존경을 받을 수 있다. 그래서 조직을 이끌어가고 있다면 큰 무리 없이 자신의 사람들을 잘 이끌어 갈 수 있다.

부정적으로 작용할 때의 리딩

다문천왕이므로 듣는 말이 많아서 망설일 수 있다. 사공이 많으면 배가 산으로 간다. 중요한 것을 빨리 결정해야 할 때 타이밍을 놓치게 되어버린다. 주변에 안좋은 이야기가 많이 들려온다면 그에 영향을 받아서 평소 잘 하던 일도 못하게 된다. 또한 배후에서 움직인다는 의미가 있기 때문에 전면적으로 나서는 것이 힘들 수도 있다. 그러므로 자신이 쥐고 흔들던 권력이 있다고 해도 당장 해결할 빌미가 없으므로 마음이 갑갑해진다. 이럴 때는 자신을 도와줄 아랫사람도 보이지 않고 그동안 자신에게 신세진 사람들도 외면하게 된다.

이 카드를 솔루션으로 활용할 때의 리딩

어떤 일에는 직접 개입을 해야 그 결과가 좋을 때가 있고, 어떤 일에는 나서지 않고 배후에서 활약하는 것이 좋을 때가 있다. 그것을 구별하는 것도 능력이니 참으로 쉬운 것이 없어 보인다. 이 카드를 솔루션으로 활용을 하고 싶다면 첫째로 포용력과 이해심을 키우라고 말해주고 싶다. 다문이라는 뜻은 많이 듣는다는 것인데, 우리나라 옛말에도 남의 말을 잘 들어주되 자신의 말은 적게 하는 것이 군자의 덕이라고 하는 구절이 있다. 그만큼 사람이란 자신의 의사표현을 많이 하고 싶어서 남의 말을 꾹 참고 들어주는것이 쉽지 않다는 말이다. 그러므로 이 카드는 그 인자함이 모든 일을 이루게 만들고 더 나아가서 성과를 내게 하는 원동력이 된다는 것을 알려준다.

27. 명부판관

27. 명부판관

죽은 사람이 도착한 명부전 앞에서 그를 심판하기 위해 서있는 판관들. 중앙의 신은 살아생전 행실을 적은 책을 들고 기다리고 있고, 악한 사람을 판별해서 그에 맞는 지옥에 던지기 위해 좌우로 지엄한 신들 또한 대기 중이다

KEYWORD

심판, 묵은 일이 드디어 해결된다. 판단이 나고 모든 것이 종결된다. 남에 의해 나의 일이 좌지우지된다. 약삭빠른 계책은 통하지 않는다. 관재가 발생한다. 종착역. 막다른 골목이다. 마음의 결심을 굳혀야 한다.

긍정적으로 작용할 때의 리딩

저승의 판관들이므로 매우 엄격하지만 나름의 장점은 있다. 만인에게 평등하다는 점이다. 그래서 그간에 억울한 일이 있거나 해결되지 않은 문제가 있다면 이번 기회에 명명백백 밝혀볼 수 있는 셈이다. 평소 자신의 판단력이 흐리거나 마음이 약해서 남에게 싫은 소리를 못하는 경우에도 이 카드는 좋다. 오랫만에 속 시원하게 결단력 있는 말을 해볼 수 있기 때문이다. 주변인들은 당신의 단호한 태도 변화에 놀랄 수도 있지만 개의치 말고 자기 기분대로 해도 될 것이다. 어차피 결과는 다 나와있다. 판관은 심판하는데 실수가 없으므로 믿고 추진하면 된다.

부정적으로 작용할 때의 리딩

판관은 결론을 내리는 의미가 강하다. 그래서인지 사람의 감정이나 일이 그렇게 된 연유를 길게 들어주고 공감하기는 힘들다. 이 카드가 부정적으로 작용한다면 타인의 시선에 너무 냉정한 사람으로 비춰지지 않을까 하는 점이다. 그리고 남의 다툼에 자신이 판단을 내려주는 행동을 해서 주책스럽게 보이거나, 괜한 소문에 시달릴 수가 있다. 남의 일에 감나라 배나라 하는 건 자제해야 한다. 아무리 자기가 잘 아는 분야라고 하더라도 나서지 않는게 좋을 때가 있는 법이다. 판관은 공무원 같은 이미지가 있어서 자신의 사사로운 이익을 위해서 활동하지 않는다. 그래서 자신의 행동이 사적인 욕심을 채우려고 한 것은 아닌지 반성해봐야 한다.

이 카드를 솔루션으로 활용할 때의 리딩

기본적으로 사람은 자신의 이익이나 안전을 최우선으로 하고 살아가는 존재다. 그것을 나무랄 수는 없다. 그러나 이 카드는 죽음에 임했을 때 판관들이 찾아와서 나의 죄를 심판한다는 의미를 품고 있으니 자신의 최근 생활이 너무 이기적이지는 않았는가 하는 점을 돌이켜 보는게 좋겠다. 판관 카드를 솔루션으로 활용할 때는 자신의 양심에 비추어보아서 거리낌 없이 살아왔는가를 잘 생각해보면 된다. 성인군자와 같이 살지는 못하더라도 굳이 남을 헐뜯고 괴롭히면서 자신의 기분을 만족시키고 욕심을 채우진 않았나 하는 것이다. 사실 그렇게 해본들 남는 것은 없다. 찰나와 같은 인생길은 너무나 짧다. 종착역은 다들 비슷비슷하다. 좀 더 남을 배려하고 양보하는게 좋다는 뜻의 카드이다.

28. 삼도천

28. 삼도천

사람이 죽어서 저승으로 가는 도중에 있다는 강이며 생전의 죄의 가볍고 무거움
에 따라 세 가지의 길이 있다고 한다. 이곳을 건너야 황천, 즉 저승의 세계로 들어
갈 수 있다. 삼도천에서는 망자의 혼이 머무를 수가 없고 자신들이 건너야 하는
이 강가에서 헤매면서 강을 건널 차례를 기다린다고 봐야 한다

KEYWORD

처분을 기다리는 수밖에 달리 내가 할 수 있는 일은 없다. 거대한 운의 흐름 속에 나는 작은 존재일 뿐 운명을
받아들이고 차례가 오기를 기다려야 한다. 그 뒤에 어떻게 될지는 알 수 없 으나 지금으로선 그 방법 밖에 없
다. 이제껏 경험한 것과는 전혀 다른 시간이 기다리고 있다.

긍정적으로 작용할 때의 리딩

하나의 삶이 끝나고 정리하는 일이 남았다. 망자가 죽음의 바다를 건너가는 마당에 뭐가 긍정적인 리딩이 있을 수 있겠냐고 하지만 꼭 그렇지도 않다. 삶이란 어떤 단계가 끝나지 않으면 그 다음 단계로 진입할 수 없다. 그러므로 이 카드는 미련 떨 필요없이 헤어진 인연은 잊어버리라는 말이고, 잃어버린 돈도 집착을 버리라는 것을 알 수 있다. 그러고 나면 다시 새로운 길이 나타나는 것이다. 막막해서 도저히 앞으로 나아갈 길이 보이지 않고 자신에게 미래라고 하는 것은 없다고 절망할 때 새로운 빛이 나타난다. 하지만 그 전에 어두운 터널을 조금은 걸어야 하는 것이다. 지혜로운 사람은 이 카드에서도 희망을 읽어낼 수 있다.

부정적으로 작용할 때의 리딩

좌절이라고만 읽는다면 이 카드는 매우 부정적이다. 고난 뒤에 다시 일어설 힘이 없거나 모든 것을 포기했을 때 비로소 모든 것은 끝나버린다. 사람들은 자신의 능력이 없거나 주변 환경 때문에 절망하지 않는다. 자신의 내면에서부터 망가지기 때문에 포기하게 되는 경우가 많다. 아무리 어려운 상황에 처하더라도 자신을 포기하지 않는 한 희망은 남아있다. 삼도천에 이르렀을지라도 자신에게 주어진 길을 걸어가야 하는 것은 모든 사람들의 과제인지도 모른다. 그리고 하나의 장이 끝나고 나면 그 다음 장으로 넘어가는 것이 인생이다. 긍정적인 면을 배우기 위해 인생은 반복된다.

이 카드를 솔루션으로 활용할 때의 리딩

변화라고 하는 것은 알아차릴 수 없게 서서히 일어나는 것도 있지만 운명적으로 크게 다가오는 것도 있다. 이 카드는 자신의 운명에 대한 큰 변화로 보는게 맞다. 거부할 수도 없고 외면한다고 될 일도 아니다. 삶의 큰 갈림길에서 받아들일 수 밖에 없다면 순종하는 것도 지혜롭다. 무엇보다 많은 준비를 해두었다면 정말 큰 도움이 될 것이다. 그러나 사람들은 자신의 삶에 변화가 일어나는 것을 평소에 대비하지 않는다. 막상 사건이 닥치면 그 때가 되어서야 후회하는 것이다. 이 카드를 솔루션으로 쓰고자 한다면 먼 훗날의 일이라고 여기지 말고 지금 당장 준비를 해야한다는 점을 잊지 말자.

29. 용

29. 용

물을 상징하는 신적인 존재이며 사람의 삶에 필수 불가결한 물을 관장한다. 가정의 평안과 무병장수, 풍년, 풍어, 무사 항해를 관장하기도 하며 특히 나라를 지키는 호국신으로서 농사의 근본인 비를 관장한다. 초상이 나거나 출산, 부정한 상태일 때는 요청을 드려서는 안 된다.

KEYWORD

실제로 필요한 일이나 행위, 가정의 일이기도 하고 지역공동체의 일이기도 하다. 때로 주부의 일과 역할이 늘어남. 거짓말이나 위선으로는 일을 진행할 수가 없고 어차피 드러나게 되므로 처음부터 솔직할 필요가 있다. 큰 부자는 되지 않지만 평안한 생활을 영위하는 데에는 무리가 없다. 동쪽을 상징한다.

긍정적으로 작용할 때의 리딩

아시아에서 용은 좋은 이미지를 가지고 있다. 그래서 개천에서 용이 난다거나 하는 속담이 있을 정도이다. 용은 비를 불러오며 가뭄을 해소한다. 신성한 존재를 상징하기도 하며 그 존재를 보좌하는 역할도 한다. 그래서 이 카드가 긍정적인 의미로 쓰일 때는 그런 사람을 만나거나 귀인으로부터 도움을 받을 수 있다. 또는 평소 영감이 발달된 사람이라면 자신의 느낌대로 움직이면 좋은 결과가 있다. 용은 더러운 것을 좋아하지 않기에 주변을 정리정돈하고 청결하게 할 수록 행운이 찾아온다. 물의 신이기 때문에 강가나 바닷가 근처에서 좋은 일이 있다.

부정적으로 작용할 때의 리딩

만사가 능통할 것 같은 용이지만 힘겨울 때도 있다. 용이 속세의 사람과 어울려 산다는 것은 힘든 일이다. 이상이 높고 고상한 취향을 가진 사람들은 일반인들과 대화가 되지 않는다. 또한 자신의 뜻을 관철시키기 쉽지 않기 때문에 쉽게 고독감에 빠지기도 한다. 그러다보면 실천을 하기도 전에 포기하고 은둔자로 지내기가 쉽다. 용은 깨끗하고 깊은 물을 좋아하는데 더러운 흙이 묻거나 물이 모자라게 된다면 큰 난관에 빠지기 쉽다. 그래서 이상이 높고 자신만만하던 사람이 불길한 운을 맞이하면 아래로 추락하는 속도가 일반인보다 더 빠른지도 모른다.

이 카드를 솔루션으로 활용할 때의 리딩

자신에게 잘 맞는 생활인지 아닌지를 판별하는 것이 중요하다. 이 카드는 주변의 여건과 자신을 잘 돌보라는 의미로 받아들이면 좋다. 용은 조건이 잘 갖추어지면 알아서 날아오르고 자신의 갈 길을 갈 수 있기 때문이다. 그래서 솔루션은 바로 그러한 환경적인 요소에 대한 관찰인 셈이다. 아무리 위대한 인물이라고 하더라도 때를 잘못 만나면 실패한다. 몇 세기가 지난 후에 평가받는 명작이나 영웅은 셀 수 없이 많다. 그렇기 때문에 이 카드는 타이밍이 잘 맞아야 된다고 알려주고 있다. 자신의 내면적인 부분도 중요하지만 현재 대인 관계라든가 분위기가 어떻게 흘러가고 있는지 촉각을 곤두세우고 살펴보는 것을 잊지 말자.

30. 호랑이

30. 호랑이

한국인을 대표하는 동물이며 신앙의 존재이기도 하고 산신과 동일시되기도 한다. 위엄이 있으면서도 상대를 헤아릴 줄 알고 신성하면서도 친근한 이미지이다. 선함과 정의를 상징하며 신령을 지키고 우직하며 간교하지 않으나 때로 지혜가 모자라는 어리석음도 보여준다.

KEYWORD

머무를 때와 움직일 때의 변화가 매우 심하며 한번 변화가 일어날 때는 그 기세를 꺾기가 어 렵다. 결과가 좋을 때도 있고 좋지 않을 때도 있으나 끝이 나야지 길흉을 알 수가 있다. 그다지 긴 시간이 필요하지 않다. 체면과 겉치레가 조금 중요시 된다. 실속이 없고 남에게 보여지는 것에 치중하는 편이다. 서쪽을 상징한다.

긍정적으로 작용할 때의 리딩

두 마리의 호랑이가 사이좋게 앉아있다. 약간 느긋함마저 느끼게 하는 이 카드는 변함 없는 우정이라든가 신뢰를 보여준다. 만신 카드 중에서 사람이 등장하지 않는 카드들은 이런 경향이 있는데 그 이유는 동물이 훨씬 더 솔직한 일면이 있다는 점 때문이다. 변덕 많은 것은 사람의 전유물이다. 오늘 당장 약속을 지킬것처럼 굴다가도 내일이 되면 변심하기 쉬운 것이 사람이다. 그래서이 카드는 안정감을 느끼게 한다. 산신을 수호하는 역할로도 자주 그려지는 만큼 그 누군가를 지켜주고 보호해주는 사람이다. 믿을만한 사람을 만난다고도 볼 수 있다.

부정적으로 작용할 때의 리딩

먹이를 사냥할 때 호랑이는 매우 빠르다. 그러나 게으름을 필 때엔 하염없이 앉아있곤 한다. 특히신들의 세계에서 호랑이는 산신의 화신 또는 조력자로 등장하며 불필요한 일에는 관심 자체가없다. 성격이 급한 사람은 뭔가를 빨리 해결해야 한다. 그렇기에 이 카드가 나오면 일이 늘어질대로 늘어진다고 볼 수 있다. 자신의 생각만큼 일이 빨리 해결되지 않기에 매우 초조하고 답답하다.사업의 파트너가 이런 스타일이라면 믿음직하긴 하지만 도무지 자발적으로 움직이려하지 않는점 때문에 불만이다. 연애중이라면 한 눈을 파는 상대는 아니겠지만 긴장감이 없다.

이 카드를 솔루션으로 활용할 때의 리딩

참고 기다리면 해결된다는 것이 이 카드의 장점이다. 혼자 서두르고 초조해본들 이루어지는 것은 없다. 다수의 사람과 연결된 일을 진행해야 한다면 더욱 그렇다. 삶의 지혜라고 하는 것은 약간의 인내심과 연결되어 있다. 속전속결로 해결되면 좋겠으나 그렇지 못한 일이 대부분이다. 인간관계도 마찬가지다. 특히 이 카드는 신뢰와 관련되어 있기에 자신도 남에게 신뢰감을 주어야한다는 점을 인지하기 바란다. 솔루션은 서로 믿을 수 있는 관계가 되느냐 아니냐의 문제인 것이다. 금전이나 다른 것은 차후의 문제이다. 또한 장기적으로 진행되는 일에 매우 이롭기 때문에 그것을 염두에 두고 생각해보면 된다.

31. 업신

31. 업신

집안의 재물을 지켜주는 수호신의 하나로 집안의 보이지 않는 곳에서 가족과 함께 지낸다. 업신이 나가게 되면 집안의 기운이 쇠퇴한다고 믿었다. 집안에 업신이 있다는 것은 재물이 모이고 부자가 된다는 의미이기도 했다. 한국인이 좋아하는 복의 의미가 업(業)에 함축되어 있다.

KEYWORD

좋은 운이 계속해서 이어질 수 있다. 모르는 게 약이다. 나를 돕는 사람이나 운을 내가 모르고 있을 수도 있지만 지금의 상황은 매우 낙관적이다. 금전운에서 특히 길하다. 일의 흐름은 나의 편에서 진행되고 있다. 자만하지 않고 과욕을 부리지 않는다면 당분간 나의 운은 계속해서 잘 흘러가게 될 것이다.

긍정적으로 작용할 때의 리딩

누구에게나 보금자리는 꼭 필요하다. 돌아가서 쉴 자리는 동물에게도 있으니 하물며 사람에게는 더 큰 의미로 다가온다. 또 그 터전에서 힘을 얻어서 다시금 바깥 세상으로 나아간다. 그래서 이 카드가 나온다면 지칠 때 돌아가서 의지할 사람이 있기 때문에 안심해도 된다고 읽으면 된다. 뭔 가를 상의하고 함께 이끌어갈 사람이 있다는 의미이기에 가족이나 친척 중에 믿을만한 이가 있 다면 더없이 좋다. 작은 사업체를 운영해간다면 그것을 맡아서 자기 일처럼 생각하며 근무하는 직원이 있다고도 해석할 수 있다. 지금 자신이 몸담고 있는 곳이 삶의 터전으로 좋다는 의미도 된 다.

부정적으로 작용할 때의 리딩

한 자리에 꾸준하니 머무르고 일을 하는 성실함은 좋지만 변화의 시기가 되었음에도 움직이지 못할 땐 문제가 된다. 고집이 있는 성격이기에 자신의 생활반경을 급격히 바꾼다거나 외부의 조 건에 자신을 맞추어야 할 때는 반발이 있다. 쉽게 응하지 않는 것이다. 자신의 터전을 떠나려하지 않는 고집은 좋은 기회를 놓치게 만든다. 보수적인 일에는 좋으나 변화에는 느린 카드이다. 모처 럼 온 행운을 잡지 않는다면 시간이 지나고 난 뒤에 반드시 후회하게 된다. 또한 자신의 가족이라 든가 자신의 사람을 지키기 위해서 지나친 희생을 감행하기도 한다.

이 카드를 솔루션으로 활용할 때의 리딩

삶의 안정을 위해선 반드시 필요한 요소들이 있다. 집이나 직장 등 여러가지를 생각해 볼 수 있 다. 번거롭긴 해도 이런 것들이 없다면 살아가는데 많은 어려움이 따르는 것은 사실이다. 현실적 인 문제에 솔루션을 원할 때 이 카드는 많은 대책을 제시해 줄 것이다. 꾸준하며 지속적으로 일을 진행하고 변덕없는 마음으로 진행하게 도와준다. 그리고 한 자리에 머무르는 힘이 강하기에 마 음의 흔들림이 있을 때도 이 카드는 문제를 해결해준다. 대인관계에서 갈등이 많을 때, 신뢰관계 를 형성해야 할 때도 좋다.

32. 당산나무

32. 당산나무

신목(神木), 마을을 지키는 수호신이자 성스러운 구역으로 언덕이나 산기슭에 있다. 마을에 불길한 일이 있을 때 이를 풀기 위해 신목에 제사를 올리기도 한다. 또한 지역공동체를 상징하기도 하며 고대로부터 전해져오는, 우주의 중심에 자라고 있는 나무 설화(신단수)에서 보듯이 정치, 경제, 신앙의 중심이다.

KEYWORD

쉽게 외면할 수 없는 강력한 현실적 제재. 개개인의 생각보다 전체의 의견을 따라야 한다. 쉽게 변하지 않는 전통, 금세 변화가 이루어지지 않는다. 대다수의 의견에 동화되어 따라가더라 도 손해 볼 것은 없다. 조직 내에서의 일, 공동체 안에서 해결되어야 할 일.

긍정적으로 작용할 때의 리딩

한 마을의 안위를 돌보는 당산나무는 마을 사람들의 의지처이다. 그렇기에 이 카드가 나온다면 큰 보호를 받고 있다고 생각해도 좋을 것이다. 또한 개인의 욕심만이 아닌 전체를 위한 공익적인 일에서 좋은 결과가 있다고도 볼 수 있다. 마을은 사람들이 모여서 더불어 살아가는 곳이다. 그와 연관된 일을 떠올려본다면 긍정적인 리딩이 가능할 것이다. 예전부터 해오던 행사나 전통적인 일에서는 매우 강한 영향력을 가지고 일을 잘 추진해 갈 수 있다. 조직의 리더가 되거나 중책을 맡을 때도 믿음직스럽게 소임을 해낼 수 있다.

부정적으로 작용할 때의 리딩

나무는 첫째로 스스로 땅 위를 이동할 수 없다는 단점이 있다. 그래서 한 곳에 뿌리내리고 난 뒤에는 뽑히지 않는 이상 다른 곳으로 갈 수 없기에 이동을 원할 때는 부정적으로 리딩된다. 재빠른 대처를 해야 하거나 판단의 시기가 속히 요구될 때 이 카드는 느릿느릿하게 보일 뿐이다. 먼 미래를 향해서 나아가야 할 때도 있지만 때로는 그 순간순간을 선택해야 하는 것도 사람의 숙명이다. 또한 예전부터 내려오는 전통이라든가 집안 내의 독특한 규율 같은 것도 어떤 의미에선 답답해질 때가 있으니 이러한 점에서 당산나무 카드는 소통이 불가능해 보인다. 변화를 싫어하기 때문이다.

이 카드를 솔루션으로 활용할 때의 리딩

아파트 촌이 일상화된 요즘 시대에 당산나무처럼 사람들을 하나로 모아주는 것은 그리운 옛날이 되어버렸다. 그럼에도 불구하고 사람끼리의 결속력이라고 하는 것은 절대 무시할 수 없으며 공동체 정신은 현대에도 살아남아 인간관계를 끈끈하게 이끌어간다. 작은 조직이든 큰 조직이든 이러한 유대를 발판으로 성공하기 위해서는 당산나무 카드를 솔루션으로 활용하면 된다. 약간은 이기적인 마음이 있더라도 대의를 위해서 힘을 합해야 할 때 이 카드는 그 힘을 보태게 도와준다.

33. 혼례

한 쌍의 원앙새가 놓여진 상차림이 결혼을 말해주고 있다. 한국의 전통 결혼식으로 이는 백년해로를 상징하고 앞으로 신랑, 신부의 미래에 부귀영화와 행복이 함께하기를 기원하는 의미이다.

KEYWORD

의견의 합일, 일치, 연합, 계약이 이루어짐, 장기적인 계약이 성사됨, 행복한 순간, 만인의 주목을 받으며 더 없이 안락한 기간을 보낼 수 있다. 소소한 잘못은 용서되고 이해될 수 있다. 관용적인 태도로 일을 진행하면 유익하다.

긍정적으로 작용할 때의 리딩

동업이나 결혼에서 모두 길한 카드이므로 무엇이든지 성사된다. 오랜 기간을 공들인 거래는 곧 성사될 것이고 자신이 원하던 상대로부터 프로포즈를 받는다. 자신의 본심을 알아주는 사람을 만나서 마음을 터놓을 수도 있으니 여간 반가운게 아니다. 이 카드는 격식을 갖춘다는 의미도 있기 때문에 남들로부터 공식적인 인정을 받을 수 있다. 그럴싸한 모양을 갖춘다는 뜻이다. 성대한 파티를 열고 지인들을 초대하기에도 적절한 시기이다. 즐거운 자리에 자신이 초대되거나 상을 받을 일도 생긴다. 고난으로 가득한 인생같지만 가끔은 꿈같이 즐거운 일도 있는 법이다.

부정적으로 작용할 때의 리딩

두 사람의 관계가 너무 밀접하기 때문에 다른 사람의 개입이 허용되지 않는다. 끈끈한 유대는 좋은 것이지만 지나치게 강하면 문제가 될지도 모른다. 자기 둘만의 세계에 빠져서 세상이 어떻게 돌아가는지 관심도 없고 모른 채 지낸다. 그러다가 나중에 정신을 차려보면 때는 늦었다. 그 유대감이 영원하다면 다행이겠지만 사람의 일이란 모르는 것이다. 헤어지거나 멀어져 버린 후에 스스로 독립해서 살아가고자 노력해야 한다면 대책이 없다. 친구고 지인이고 모두 멀리한 시간이 후회될 것이다. 오로지 연인, 부부만 바라보며 살던 사람은 혼자가 되었을 때 아무도 관심을 가져주지 않는다.

이 카드를 솔루션으로 활용할 때의 리딩

평생동안 자신의 마음을 이해하는 진실한 친구가 한 명만 있더라도 그 인생은 성공했다는 말이 있다. 연인이 있다면 더 좋을 것이다. 그 연인과 결혼해서 평생을 함께 했다면 더없이 행복한 인생이다. 그래서 이 카드의 솔루션은 자신의 반쪽을 찾는다는 의미로 해석해 볼 수 있다. 사람은 평생 그 반쪽을 찾아서 헤메이는 존재인지도 모른다. 그만큼 불완전한 존재이기에 사람인 것이다. 자신의 본 모습을 있는 그대로 사랑해주는 사람을 찾고자 할 때 이 카드는 많은 용기와 힘을 불어넣어 줄 것이다.

34. 출산

34. 출산

아직 잠들어 있는 마을에는 어스름한 안개가 깔려 있고 누군가의 집에 이제 막 새 생명이 태어났다. 가족 이외의 다른 사람은 출입을 할 수 없다는 것을 알리는 금줄이 대문 앞에 드리워져 있다. 이것은 부정한 기운을 막는 것으로 태어난 아기가 건강하게 자랄 수 있도록 하는 목적이 있다.

KEYWORD

금기시 하는 것은 지키는 것이 좋다. 나의 기쁨을 남에게 알릴 때는 조심해야 한다. 시기와 질투가 있을 수 있으니 처세를 신중하게 해야 한다. 은밀한 기쁨이 있다. 소문을 조심하고 당분간은 근신하는 것도 나쁘지 않다. 가족 간에라도 지켜야 할 것이 있다. 나의 접근을 상대가 거부할 때는 잠시 거리를 두어야 한다. 무리하게 진행하면 그르친다.

긍정적으로 작용할 때의 리딩

새로운 출발에는 늘 설렘이 함께한다. 펼쳐진 미래를 향해 어떤 일이 일어날지 기대되고 축하를 받고 싶은 마음이기도 하다. 이 순간만큼은 서로 이해타산을 따지는 것을 멈추고 순수한 응원을 보내줄 수 있는 것이다. 그것은 자기 자신을 향해서 스스로 격려하는 마음일 수도 있고 남을 위해서 자신이 그렇게 대해주어야 하는 것이기도 하다. 새로운 인연을 만나거나 새로운 일을 함께 할 때도 이 카드는 미래에 대한 희망과 기쁨을 암시해주는 좋은 길잡이 역할을 해준다. 불확실하기에 인생은 살아갈 가치가 있는지도 모른다.

부정적으로 작용할 때의 리딩

처음 시작은 서툴고 실수를 하게 마련이다. 아무도 가르쳐주지 않는 인생길을 누구나 각자 처음 걸어갈 뿐이다. 그러니 어디에서 자신의 모델을 찾아야 할지 감이 안잡힌다. 부모님이 계신다고 해도 자신의 미래의 모델은 다른 사람이 될 수 있다. 그런데 지금은 너무나 불투명하고 그런 존재도 보이지 않는다. 생소한 시작일 수 있다. 새로운 직장에서의 부적응, 이사간 곳에서의 낯설음 등등 너무나 많은 것들이 당신을 둘러싸게 될지도 모른다. 어쨌든 당분간은 이 어려움을 헤치고 미숙한 자신을 더 일으켜세우기 위해 노력해야 할 것이다.

이 카드를 솔루션으로 활용할 때의 리딩

새로운 모험을 떠나는 순간이다. 사람은 영원히 변화없이 한 자리에서 똑같은 모습으로 머물러 살아갈 수 없는 존재이다. 태어남이 있고 살아감이 있고 죽음이 있다. 같은 인생의 여정이지만 한편으로는 전혀 같지 않은 인생이다. 같은 얼굴이 하나도 없듯이 출발은 저마다 다르다. 설렘을 안고 이제 스타트 하기 위해서 이 카드는 모든 힘을 실어준다. 도전하지 않는다면 새로운 변화는 당신에게 영원히 찾아오지 않는다. 무모하게 보일지 모르지만 어떻게해서든 당신은 새로운 자신을 발견하기 위해 출발해야만 할 것이고 그 때 이 카드는 당신에게 용기를 불어넣는다.

35. 행복한 가족

단란한 세 가족이 모여 앉아 식사를 하고 있다. 소박한 서민의 모습이다. 마당 아래도 닭들이 병아리와 모이를 먹고 있다. 평화로운 그림에서 재물이 넉넉하지 않아도 진정한 행복을 엿볼 수 있다.

KEYWORD

일상적이고 소소한 즐거움이 이어진다. 가족 안의 일도 제자리를 찾아가고 타인 간의 일이나 직장 생활도 무난하게 나아갈 수 있다. 지나친 욕심만 부리지 않는다면 한동안 이러한 평화가 이어질 전망이다.

긍정적으로 작용할 때의 리딩

대외적으로 펼쳐지는 일보다 소소한 가정내의 일에서 이 카드는 더욱 긍정적이다. 혹은 가족같이 소규모 집단으로 일하는 작은 회사도 좋은 느낌으로 읽어볼 수 있다. 사람이 행복을 느끼는 지수는 저마다 다르지만 아무리 화려한 의식주로 살아간다고 하더라도 하루에 세끼 이상을 먹거나 잠자리가 하나의 방을 넘는 경우는 거의 없다. 그러니 이 카드는 한 사람에게 주어지는 최소한의 행복, 또는 가장 근본적인 행복감이라고 읽어볼 수 있다. 고단한 바깥일을 마치고 집으로 돌아와서 가족들과 맛난 식사를 하는 화목함은 사람을 살아가게 해주는 큰 원동력이다.

부정적으로 작용할 때의 리딩

보다 넓은 세계로 도약하는 모험을 하고자 할 때 가족을 생각한다면 사람들은 멈칫하게 된다. 사람은 저마다 인생의 갈림길에서 그러한 선택을 해야할 때가 있다. 현실적인 문제와 가족에 대한 책임감때문에 자신의 꿈을 포기하거나 좋은 기회가 왔음에도 그것을 알면서도 놓쳐버린다. 그래서 이 카드는 아쉬운 마음을 나타낸다. 또는 자신이 리더나 대표를 맡아야 하는 자리가 있는데 자신에게는 지나치게 큰 자리일때도 이 카드는 부정적으로 읽을 수 있다. 소소한 친목회 정도의 모임은 상관없겠지만 대의를 내세우고 큰 이상을 향해 나아가기엔 재능의 부족이다.

이 카드를 솔루션으로 활용할 때의 리딩

현재 머무른 곳에서 만족하며 행복을 찾자는 것이 이 카드의 핵심이다. 작지만 확실하고 현실적인 행복인 셈이다. 거창한 것은 저 멀리에 있고 화려해보이지만 당장 손에 붙잡을 수 있는 것이 아니다. 밖으로만 나돌며 행운을 찾아다니는 사람이 있다면 바로 그에게 필요한 카드일지도 모른다. 가족 중에도 마찬가지다. 꿈을 이루기위해 노력하지만 한편 자신의 손이 닿는 곳에 있고 느껴볼 수 있는 행복을 착실하게 일구어 가는 사람들에게 이 카드는 알맞는 솔루션을 제공해 줄 것이다. 안식처의 의미도 사람마다 다르지만 어찌 되었거나 자신이 안정감을 느끼는 곳이 안식처인 것은 틀림없다.

36. 그네 타기

36. 그네 타기

봄이 되어 꽃이 만발할 때 화려하게 꾸미고 나와서 아가씨는 그네를 탄다. 더 높이 올라가기 위해 애쓰고 자신을 과시하느라 바쁘다. 그 아래에는 선망의 눈길로 올려다보는 신분이 낮은 여자들이 보인다

KEYWORD

남에게 나를 드러내는 시기로 그다지 나쁘지 않다. 환경적인 것도 받쳐준다. 추종자들이 생긴다. 그만큼 나의 일이 늘어난다. 시간을 뺏긴다. 딱히 득이 되는 일이 생기기보다는 자신의 기분을 맞추는 것에 만족해야 한다.

긍정적으로 작용할 때의 리딩

살다 보면 마음에 드는 것이 있다고 해서 선뜻 선택하기보다는 이리저리 재어보는 게 필요할 때가 있다. 금방 결정하지 말라는 카드이기도 하다. 중요한 거래를 해야할 때도 마찬가지이다. 더 많은 정보를 모은 다음에 결정해도 늦지 않다. 흥정이라고 하는 것은 때로 밀고 당기기를 하는 맛이다. 그러니 지금은 주어진 시간을 즐겨보도록 하자. 시간이 좀 지체된다고 해서 나빠질 것은 없다. 그네타기를 하듯이 사태를 관망하다보면 의외의 힌트를 얻을 수도 있다. 그간 궁금해하던 대상에 대해서 다른 시각을 가질 수도 있고 뜻밖의 좋은 정보를 손에 넣는다.

부정적으로 작용할 때의 리딩

한 군데 마음을 정하지 못하고 지나친 비교만 하다보면 평판이 나빠진다. 일에서도 그렇고 사랑에서도 그렇다. 결정 장애인 것처럼 허구헌날 이것 저것 재면서 살아간다면 다른 이들로부터 불신밖에 얻지 못한다. 사회 생활에서 신뢰를 얻지 못한다면 대인관계에서 좋을게 없다. 또 이런 성향은 습관일 수도 있어서 생각보다 고치기가 쉽지 않다. 그래서 이런 카드가 나온다면 자신의 처세에 대해서 돌아보고 깊은 반성의 시간이 필요하다. 사실 아무리 비교해본들 시간이 흐르고 나면 그다지 큰 차이가 없는게 사람의 인생이다. 득실을 따지는 것은 무의미할지도 모른다.

이 카드를 솔루션으로 활용할 때의 리딩

그네타기 카드는 적절한 조절 작용이 필요할 때 안성맞춤이다. 쉽사리 중요한 결정을 내려버리는 사람에게는 자제력을 길러줄 것이고, 하는 일마다 망설이는 사람에게는 자신을 돌아보는 계기가 된다. 인생의 여정에는 제자리에서 여유를 가지고 관망하는 것 같은 이러한 방법이 필요할 때가 있는 법이다. 하지만 언젠가는 결정을 내려야 할 것이다. 그네만을 타기 위해서 일생동안 이러고 있을 수는 없기 때문이다. 하지만 지금은 순간적인 기지를 발휘해서 자신에게 조금 더 심사숙고 할 수 있는 여유를 주도록 하자. 이럴 때 이 카드는 솔루션이 될 수 있다.

37. 널뛰기

37. 널뛰기

어린 티를 벗지 못한 아가씨가 널뛰기를 하면서 담장 밖의 남자에게 눈길을 주고 있다. 이 남자와 약속이 된 것인지, 아니면 지나가는 남자에게 흥미를 느끼는 것인지 모르겠으나 널뛰기보다는 밖의 세상에 정신이 팔려있는 것은 틀림 없다.

KEYWORD

젊은 날의 일탈, 또는 그렇게 하고 싶은 마음. 아무런 결과를 바라지 않는 자연스러운 행동이 나 철이 없다. 근처의 사람들이 알아차리지 못하는 자신만의 은밀한 즐거움. 사춘기, 자유에 대한 갈망.

긍정적으로 작용할 때의 리딩

아무리 담장 안에 있다고 해도 밖을 내다볼 수 있는 기회는 오는 법이다. 그러니 속수무책으로 전혀 알 길이 없는 것이 아니다. 도리어 지혜를 발휘해서 자신이 원하는 정보를 얻으려고 한다면 뜻대로 된다. 널뛰는 것은 남들이 보기에만 그럴 뿐이지 사실 속셈은 따로 있는 것이다. 가까운 이들에게 들키지 않고 은밀히 일을 진행하거나 한꺼번에 두 개 이상의 일을 진행할 때도 좋은 카드이다. 엄청난 결과를 맞이하게 되는 요인은 작은 것에서부터 출발하는지도 모른다. 그 결과가 지금 당장 드러나지 않는다고 해도 그렇다.

부정적으로 작용할 때의 리딩

마음의 변덕과 잦은 갈등 때문에 일을 추진하지 못할 때 이 카드는 불리하다. 이런 저런 생각을 해보지만 당장 추진할 수 있는 것도 없다. 성격이 급하거나 빨리 결론을 내리길 원하는 사람들에게 이 카드만큼 답답한 것이 없다. 제자리에서 널뛰기를 하고 있으니 뭔가 앞으로 나아가고 싶은 사람들에겐 방법이 없다는 생각만 들 것이다. 이 카드는 그래서 환경적인 면에서 받쳐주지 않을 때도 자주 등장한다. 아무리 궁리를 해도 담장 안에 머물러 있어야 한다는 점에선 변함이 없기 때문이다. 먼 미래엔 어떻게 될지 몰라도 지금은 답답함을 견디는 수밖에 없다.

이 카드를 솔루션으로 활용할 때의 리딩

지금 처해진 자신의 환경을 잘 돌아보고 계획을 세워야 한다. 이 카드는 반복된 일상이지만 그 안에 열쇠가 있을지도 모른다는 것을 말해준다. 자신의 생활을 잘 돌아본다면 분명히 그 안에서 방법을 찾아낼 수 있을 것이다. 담 너머에 의문의 사람이 서 있다는 점에서 카드에 숨겨져 있는 비밀과 희망을 발견해보기 바란다. 갇혀있다는 느낌이 들어서 아무 것도 하지 않는다면 아무 일도 일어나지 않을 것이다. 하지만 끊임없이 뭔가를 하기위해 작은 노력도 게을리하지 않는다면 결국은 어디에선가 도움의 손길과 정보가 도착할 것이다.

38. 귀부인

38. 귀부인

대갓집 마님이 마루에 앉아서 마당을 쓰는 하인들을 바라보고 있다. 그러나 황급하게 벗어둔 남자의 신발에서 뭔가 낌새가 이상함을 알 수 있다. 혹여 하인들이 눈치를 챈 것인지 확인하려는 마님의 눈길이 느껴진다. 신발의 주인공은 누구일까?

KEYWORD

비밀이 있으나 탄로 나기 전이어서 전전긍긍이다. 이미 탄로 난 상황일 수도 있다. 이중적 관계, 구설수에 휘말린다. 위험한 장난을 하고 있다. 속마음을 들키지 않기 위해 애써야 한다. 서로 입장이 다르다.

긍정적으로 작용할 때의 리딩

아무리 완벽한 사람이라고 하더라도 허술한 허점을 보일 때가 있는 법이다. 그러나 다른 이들이 눈여겨보지 않는다면 그렇게 걱정할 일은 아니다. 현재 당신에게 비밀이 있다해도 아직은 탄로 나지 않은 일이니 크게 걱정할 것은 없다. 주변 관리에 더 치중하고 자신의 언행을 철저하게 단속 하라는 뜻으로 알면 된다. 사람들은 자신의 이익에 직접 관련이 없다고 해도 재미삼아 남의 일에 관심을 가지곤 한다. 그것은 어쩔 수 없는 인간의 본성인지도 모른다. 당신에게 자신의 안전을 위해 아직 대처할 시간이 남아 있어 그나마 다행이다.

부정적으로 작용할 때의 리딩

평소 가까이 지내던 사람들의 시선을 조심해야 한다. 같이 일하는 동료나 친구들도 마찬가지다. 지금 자신의 문제에 대해서만은 공유를 할 수가 없는 상황이다. 의도된 것이든 아니든 지금은 그 것이 문제가 아니다. 현재는 스스로밖에 이것을 감당할 길이 없다. 발 없는 말이 천리를 간다. 소 문이 나기 시작하면 걷잡을 수 없을 것이다. 지금의 상황 파악을 제대로 해두지 않는다면 일파만 파로 퍼져나갈지도 모른다. 하지만 이 카드가 부정적으로 리딩이 될 때란 이미 소문이 어느 정도 새어나가고 있다고 볼 때이다. 자신이 깨닫지 못하는 사이에 남에게 필요이상의 아이디어를 제 공하고 있을지도 모른다. 당신의 정보가 남에게 누설되는 것도 결코 좋은 일이 아니다.

이 카드를 솔루션으로 활용할 때의 리딩

아무리 가까운 사람에게도 말하지 않아야 할 때가 있다. 또 그런 내용의 사연들이 있다. 쉽사리 사람을 믿지 말고 자신의 생활에 대해서 잘 지켜내야 할 때 주의점을 환기시켜주는 카드이다. 하 지만 주변인들이 조금씩은 눈치를 채고 있기 때문에 언젠가는 폭로될 수도 있는 문제거리인것은 틀림없다. 자신의 생활 패턴이나 환경이 이렇게 남에게 보여지기 쉬운 상태라면 그것부터 단속 하는 것이 좋겠다. 타인과의 만남이나 대외적인 모임을 줄이고 자제하는 것이 현명하다. 대체로 남과 자주 어울리다보면 결국은 소문에 대한 빌미가 생기기 때문이다.

39. 초립동

어른이 되기 전 사춘기 시절로 보이는 초립동이다. 봇짐을 메고 어디론가 길을 가던 중에 길에서 개구리를 만났다. 무료한 참에 말동무가 생긴듯 반가운 표정이다. 어른의 심부름을 가는 도중이라면 시간이 지체되겠다.

KEYWORD

미성숙하지만 자기만의 생각이 있다. 망중한(忙中閑) 작은 즐거움, 약간의 휴식은 자신을 위해서도 좋다. 본격적인 일을 하기에 앞서 서론이 길다.

긍정적으로 작용할 때의 리딩

당신의 앞에 가로놓인 일들은 스트레스라기 보다 즐거운 자극제가 될 것이다. 남들이 어떻게 평가하든 그런 것은 상관없다. 당신은 대범하게 그것을 받아 넘길 것이고 자기 앞에 주어진 새로운 것들과 친해지기에도 바쁘다. 자신이 집중해야 할 것들은 지금까지 보던 것과 같은 것이라 하더라도 이제 당신 자신의 시각이 달라짐으로써 그것은 전혀 새로운 존재로 재탄생하게 된다. 예를 들어 당신이 늘 같은 곳으로 출근해서 늘 일하던 장소라고 하더라도 이전과는 다른 생각으로 바라보게 되는 것이다. 이 카드는 먼 길을 떠나야지만이 신선한 자극을 받는다는 의미의 카드가 아니다. 생각의 전환을 이야기해주는 것이다.

부정적으로 작용할 때의 리딩

당신은 주변인들의 걱정을 한 몸에 받고 있는 중인지도 모른다. 나잇값을 못하는 사람이라던가 자신의 지위에 걸맞지 않은 언행을 하고 있음으로 해서 비웃음을 사기도 한다. 하지만 가장 중요한 것은 자신이 그것을 전혀 모르고 있다는 사실이다. 당신은 자신의 감정과 흥미에 매우 몰두해 있기 때문에 주변의 다른 것에는 전혀 신경을 쓰지 못한다. 게다가 목표가 정해져 있음에도 불구하고 옆길로 새는 사람일지도 모른다. 그러니 주변인들은 그 모양을 보고서 죄다 한마디씩 거들게 된다. 가족이라면 사사건건 잔소리를 늘어놓을지도 모른다.

이 카드를 솔루션으로 활용할 때의 리딩

호기심이 없어진 사람은 노인이 되어버린다. 몸만 젊다고 해서 젊은이가 아닌 것이다. 세상을 바라보는 시각이 젊어야 하는 것이다. 죄다 그렇고 그런 것일뿐이라며 세상 어느 것에도 관심을 가지지 않는다면 인생은 흐릿한 흑백사진같이 될지도 모른다. 그래서 이 카드는 언제나 시들지 않는 흥미와 관심을 가지고 삶을 대하는 신선한 모습을 강조하고 있다. 그래서 평소 자기 자신의 생활이 시들하거나 우울해져있다면 이 카드를 솔루션으로 활용해 볼 수 있다. 조금은 철이 없고 장난기 가득한 초립동의 표정에서 인생을 새롭게 바라볼 수 있는 에너지를 느껴본다.

40. 선비

이제 갓 어른이 된 듯한, 깔끔하게 차려입은 선비가 냇가 앞에 서있다. 수심이 깊은지 어쩐지 알아보려고 나뭇가지를 들고 있는 것일까. 행여 옷이 젖을것이 걱정되어 어떻게 하면 좋을지 생각 중인 것 같다.

KEYWORD

약간의 갈등이 있다. 그다지 큰일은 아니지만 순간적인 판단을 해야 한다. 남이 보기엔 한심한 상태일 수도 있지만 자기 자신에게는 매우 심각하다. 경솔한 선택이 될 수도 있으니 신중한 것이 나쁘지 않다.

긍정적으로 작용할 때의 리딩

카드의 인물인 선비는 자신에게 걸맞는 일인지 아닌지를 잘 알고 있는 사람으로 보인다. 만용을 부리지도 않고 섣불리 냇물을 건널 생각도 없다. 일상 생활에서 충분히 자신이 감당할 수 있는 일을 하고 있다고 봐도 된다. 큰 성취를 할 수 있다는 카드는 아니지만 그렇다고 해도 지금 당장 손해를 본다거나 할 일도 없는 셈이다. 또 자신이 다루기에 알맞는 일을 선택하고 있으니 나름은 현명한 셈이다. 약간은 귀찮은 일이지만 큰 타격을 주는 걱정거리는 아니어서 다행이다.

부정적으로 작용할 때의 리딩

기분 좋게 나선 길에 냇물이 불어나서 옷을 적실지 모르는 상황이 생겼다. 잘못하면 미끄러져서 낭패를 당할 수도 있다. 그러니 순탄히 갈 수 있는 길에 작은 장애물을 만난 경우라고 리딩해 본다. 심각한 난관은 아니기 때문에 매우 부정적이라고 보기는 어려우나 성가신 일임에는 틀림이 없다. 게다가 주변에 갑작스럽게 도움을 청할 곳이라거나 정보를 요청할 상황은 아니다. 순간적인 기지를 발휘해서 스스로 해결해야하는 상황이다. 작은 어려움이라고 생각했지만 만일 옷을 다 적시는 상황이 생긴다면 다시 집으로 돌아가야 하니 자신의 목적을 이루는데 시간이 많이 낭비될 것으로도 볼 수 있다.

이 카드를 솔루션으로 활용할 때의 리딩

매사 신중해서 나쁠 것은 없다. 하지만 선비는 자신의 잘 차려입은 옷이 젖는 것을 싫어하니 실상은 체면치레를 하는 사람이라고 볼 수 있다. 즉 타인의 시각에서 당신을 몹시 비협조적이고 자기 이익만 따지는 소심한 사람이라고 보고 있다. 그리고 무엇 하나 행동하지 않고 앉아서 이것 저것 따지는 고루한 사람이라고 볼 수도 있다. 최근 주변 사람들이 자신을 대하는 태도가 달라지지 않았는가 상기해보자. 당신은 따분한 사람이며 시간 낭비만 하는 사람일지도 모른다. 그것을 깨우쳐주는 솔루션으로 활용해보자.

41. 금의환향

출세하여 다시 고향에 돌아오는 것을 말한다. 오래 전에 먼 길을 떠났던 청년이 이제 과거에 장원급제하여 임금님이 하사한 말을 타고 비단 옷을 입고 마을에 들어오니 사람들이 환호하고 부러워한다.

KEYWORD

시험이나 테스트에 합격한다. 좋은 결과가 있다. 오래 기다리던 소식에 답이 있다. 또는 잊고 있던 일이나 사람에서 즐거운 소식이 온다. 성공과 명예가 함께하는 두 가지의 행복을 모두 누린다.

긍정적으로 작용할 때의 리딩

오랫동안 기다려 왔던 일에 대한 답이 온다. 그리고 그것은 당신을 매우 기쁘게 할만한 것이다. 어쩌면 기대보다 훨씬 더 큰 보답이 옴으로 해서 당신 자신뿐아니라 주변 사람들에게까지 기쁨이 전파될 지 모른다. 당신은 사람들로부터 부러움의 시선을 받게 되고 실제적인 행복도 함께 누리게 된다. 매우 좋은 의미를 상징하는 카드이다. 시험에 장원급제 하는 것은 본인의 노력도 중요하지만 좋은 운도 따라주어야만 가능하다. 그리고 신분 상승은 비약적으로 이루어진다. 당신은 오랫 동안 고생한 노력에 대한 보상을 받는다.

부정적으로 작용할 때의 리딩

장원급제 해서 금의환향하는 것은 매우 좋지만 주변 사람들과의 일상적인 생활에서 이제 차별화 되어야 되는 시점이라는 것을 알 수 있다. 살고 있는 환경이 달라질 수 있고 승진할 수도 있다. 평소 호형호제 하던 사이라도 상사로 승진을 해서 호칭이 다른 대접을 받아야 하니 친구처럼 지내던 사람도 아랫 직원이 될 수가 있다. 삶이란 어떤 위치에 살아가느냐가 매우 중요하다. 그런데 그러한 상황이 되면 시기와 질투를 받기도 하니 결과적으로 자신이 원하든 원하지 않든 생활의 변화로 나타나는 부작용이라고 보겠다. 좋은 일이 생겨서 경제적으로 윤택해져도 마찬가지다.

이 카드를 솔루션으로 활용할 때의 리딩

자신의 생활 환경이 매우 좋아지고 경제적으로도 풍부해질 수록 겸손하고 주변 사람들의 입장을 생각해서 언행을 조심하는게 좋다. 그런데 자랑하고 싶어져서 그렇게 못하는게 또 사람이다. 이 카드는 좋은 일이 있으니 그에 맞는 마음의 준비를 하고 자제력을 잘 길러야함을 말해주는 카드이다. 그래서 그 솔루션으로도 쓸 수 있다. 금의환향이란 정작 자신의 마음 속에 금의환향하는 것이 제일 성공적이다. 남이 자신의 출세를 부러워하는 것보다 스스로에게 긍정적으로 인정받는 것이야말로 최고가 아닐 수 없다.

42. 정표

42. 정표

아들이 커서 아버지를 찾아오게 할 때 서로 알아보기 위하여 기념할 만한 것을 나누어 가졌다가, 오랜 세월이 흐른 후에 재회하여 맞추어 보고 있다. 깊은 인연으로 맺어진 사람들은 언젠가는 꼭 다시 만나게 된다.

KEYWORD

시간이 오래 걸리는 일이다. 늘 마음속에 묻어두고 있는 사연이다. 기다림이 계속 되지만 의미 없는 일은 아니다. 노력 끝에 보람 있는 결과가 기다리고 있다. 다수의 사람이 관련된 일이 아니라 일대일의 관계이다. 아직 정확한 것을 맞추어 봐야하는 과제가 남아있다.

긍정적으로 작용할 때의 리딩

다들 헤어짐에는 사연이 있다. 좋아서 헤어지는 경우도 있다던데 물론 사연은 개개인마다 다를 것이다. 어쨌거나 미래를 다시 기약하면서 헤어질 때 서로 나눠가지는 정표는 굳센 믿음을 상징한다. 이것은 다시 만났을 때도 감동을 주며 서로가 오랜 시간을 인내한 것에 대한 보상으로 볼 수도 있다. 그래서 이 카드는 곧 누군가를 만나게 되며 상대방과 자신의 결합은 매우 단단하다는 의미로 리딩할 수 있다. 성공적인 사업적인 파트너와 계약을 체결, 재회한 연인, 오랜 객지 생활을 청산하고 다시 합친 가족 등등 여러가지 반가운 경우를 상상해본다.

부정적으로 작용할 때의 리딩

완벽하게 들어맞는 정표는 엄밀한 의미에서 조금이라도 달라서는 안 된다. 서로 맞지 않는 것은 정표라고 볼 수 없다. 오래전에 한 약속을 지키기 위해서 두 사람이 다시 만났다라고 했을 때 어느 한 쪽이 변화가 있다면 그것은 실로 두려운 일이다. 예전과 다름없는 마음이라고 하는 것을 확인해야 하지만 그렇지 못할 때는 많은 실망감이 엄습할 것이다. 그다지 기대가 없는 만남은 실망도 적은 법이다. 하지만 당연히 변하지 않으리라고 했던 상대나 약속이 변하는 것은 꽤 충격이 아닐 수 없다. 그러므로 이 정표 카드는 완벽한 기대감을 상징하기에 조금의 벗어남도 용납할 수 없다는 답답함이 존재한다.

이 카드를 솔루션으로 활용할 때의 리딩

사람들은 저머다 평생의 짝을 만나기 위해 헤메인다고 한다. 그래서 자신이 운명처럼 만나게 될 사람을 만난다고 여긴다. 또는 예전에 헤어진 인연을 뒤늦게 깨닫고 그 인연이야말로 자신의 일생의 상대였다고 후회하면서 기다리기도 한다. 이 카드는 그러한 만남을 앞당기고 자신이 믿고 있는 신념을 지킬 수 있도록 힘을 준다. 불특정 다수와의 관계가 좋아지기를 바라는 카드가 아니다. 이것은 특별한 운명으로 맺어진 사람들끼리의 약속을 상징한다. 그래서 그것을 더 빨리 이루어지게 도와준다. 또 잊지 않게 각성시켜주는 역할도 한다.

43. 도둑

43. 도둑

으슥한 밤에 부잣집의 담을 넘는 도둑, 주인들은 잠에 빠져있고 아무도 알지 못한다. 도둑의 목적이 무엇인지 정확히 알 수는 없지만 매우 위험한 상황이다.

KEYWORD

위험한 운이 다가오고 있지만 내가 모르고 있거나, 안다고 하더라도 시간이 지나서 알게되는 상황. 따라서 지금은 수동적인 상태일 수밖에 없다. 사건의 결과가 나에게 유리할지 도둑(상대방)에게 유리하게 될지 알 수는 없지만 불쾌한 상황인 것은 분명하다.

긍정적으로 작용할 때의 리딩

남의 집의 담을 넘어 들어가는 카드가 좋을리는 없으나 그나마 긍정적으로 리딩이 될 때는 사람의 마음과 관련되었을 때이다. 다른 사람들에게 자신의 이미지를 각인시키는 특별한 재능이 있다거나, 다른 이들의 허를 찌르는 특출난 센스가 있다는 의미로 읽을 수 있다. 남들이 다 알아채거나 들키게 되는것은 이름난 도둑이 하는 행동이 아니다. 그러니 남들이 방심하고 있거나 태만할 때 그 틈을 타고 자신의 목적을 달성하는 비범한 재주를 상징한다. 그것이 좋은 목적을 위해서 쓰여진다면 더할 바 없이 좋겠다. 홍길동 같은 의적이다.

부정적으로 작용할 때의 리딩

남이 당신을 노리고 있거나 재물을 탈취하고 있는데도 전혀 알아차리지 못할 때 이 카드는 매우 불길함을 전해준다. 그리고 그러한 불행을 가져다 주는 것은 사람이 아니라 다른 일일 수도 있다. 당신이 깨닫지 못하는 사이에 어떤 일들이 벌어지고 있는 셈이다. 하지만 당신은 잠들어 있고 도둑이 담을 넘고 있듯이 그 일을 알 길이 없고, 안다 해도 이미 대처가 늦어버린다. 도둑은 당신에게서 중요한 것을 빼내서 사라진 후일 수도 있다. 도둑은 어쩌면 가장 가까운 곳에 있는 존재일지도 모른다. 어째서 모르는 사람일 것이라고 단정하는가? 그 발상부터 위험하다.

이 카드를 솔루션으로 활용할 때의 리딩

강력한 방어를 일깨워주는 신호등 같은 카드이다. 잠도 자지 않고 주변을 경계하라는 경고인 셈이다. 자신의 신변에 어떤 위험이 도사리고 있으며 믿을만한 이는 누구인지 다시금 되돌아봐야 한다. 사람이 궁지에 몰리는 것은 순간이다. 장기적으로 벌어지는 일도 있지만 단기간에 당하는 일에는 더욱 당황하게 된다. 자신의 생활반경을 평소보다 더 잘 살피고 헛점이 없는지 봐야한다. 회사라면 장부정리를 다시 해둬야 할지도 모를 일이다. 또 자신도 모르는 사이에 정기 결제가 계속 되어 통장에서 돈이 빠져나가고 있거나 지인에게 맡겨둔 돈을 되찾지 못하는 등의 다양한 가능성으로 살펴보도록 하자.

44. 파경

44. 파경

깨어진 거울이라는 뜻으로 사이가 나빠져서 헤어지는 경우를 뜻한다. 특히 부부나 연인이 헤어질 때 많이 쓰이는 표현이다. 정표라고 하여 다시 재결합 하는 카드는 따로 있다.

KEYWORD

오래된 인연이 헤어지고 약속이 번복되거나 지켜지지 않는다. 마음의 정리를 하는 것이 수순이니 집착도 아무 소용이 없다. 끝나버린 상황. 원래대로 되돌리기는 불가능하다.

긍정적으로 작용할 때의 리딩

자신의 힘으로 결정을 내리지 못할 때는 가끔 타의에 의해서 일을 끝맺는 편이 나을 수도 있다. 거울을 자신이 깬 것인지 남이 깬 것인지 그것을 밝히기 보다는 이미 깨진 거울은 그 전으로 돌리기 어렵다는 사실에 집중하자. 그러니 그것으로 끝난 것이다. 오랜 괴로움이 끝나고, 묵은 인연과 절연할 수 있는 계기가 생긴 것이다. 아니면 이제까지 자신이 생각하던 모습과 또 다른 자신을 발견할 수도 있다. 거울은 스스로의 얼굴을 비추는 역할이기 때문이다. 그것이 깨어졌다는 것은 다른 자신으로 탈바꿈을 할 수 있다고 볼 수 있다. 확실한 변신의 기회가 주어졌다.

부정적으로 작용할 때의 리딩

안정적인 생활을 유지하기 위해서는 큰 변화가 없이 물 흐르듯이 흘러가고 어제와 같은 오늘, 오늘과 같은 내일이 이어질 때이다. 그러나 거울이 깨어진다는 것은 이 평화와 안정이 두동강이 난 것과도 같다. 당황하고 겁을 먹고 움츠러들게 된다. 지금까지 보지 못한 순간일 수도 있고 처음 겪는 충격일 수도 있다. 변화를 위해선 이런 것을 받아들여야 한다고 머리로는 깨닫지만 정작 심정적인 불안은 잠재우기 힘들지도 모른다. 성장을 위한 괴로움은 어디에나 있다. 먼 훗날 인생의 성숙을 위해서 힘든 순간을 견디었다고 회상할 수 있을지언정 그 순간에는 힘겹다.

이 카드를 솔루션으로 활용할 때의 리딩

사람들은 가끔 자신의 모습을 타인의 시선에서 찾곤 한다. 거울을 들여다보며 오늘 내 얼굴이 어떠한지 살펴보듯이 말이다. 백설공주 동화에서 계모가 거울을 보면서 누가 예쁜지 물어보는 설정은 이런 것 때문에 만들어졌다. 자기 자신으로 살아가기란 쉽지 않다. 늘 남들의 시선이 나를 어떻게 바라보고 있는지 신경을 쓰고, 평판이 좋지 않다고 느낄 땐 마치 거울이 깨어진 것 같은 충격을 받게된다. 이 카드는 자체로는 우울해보이지만 스스로 일어서고 강해지지 않으면 안 된다는 것을 알려준다. 새로운 재탄생을 위해서 낡은 거울, 즉 과거의 관념과 습관은 떨쳐버려야 하는 것이다. 남들의 평가에서도 마찬가지다.

45. 처녀귀신

손각시. 혼기에 찬 처녀가 죽어서 된 원귀를 말한다. 카드의 그림은 아랑 전설의 일부를 그린 것으로 자신의 원한을 설명하려고 수차 나타나지만 들으려고 하지 않는 사또를 표현하였다. 사람과 귀신은 의사소통에 있어서 많은 애로사항이 있고 또 그 원한을 해결하는 방법에 있어서도 차이가 있다.

KEYWORD

일방적인 사랑, 또는 감정. 본인의 책임이 아닌데도 일이 얽히고설키게 된다. 남모르는 아픔, 생각보다 일이 간단하게 해결이 될 수 있으나 찾지 못한다. 원인을 찾는 데 더 오랜 시간이 걸릴 수도 있고 때로는 영원히 원인을 찾지 못할 수도 있다. 신체적 정신적으로 건강이 악화된다.

긍정적으로 작용할 때의 리딩

자신의 원하던 소망은 결국 이루어진다. 그것이 빠른 시일내에 해결되지는 않더라도 결국은 이루어지는 셈이다. 그 진행방식이 일반적이지 않다는 점, 또 남들에게 오해받기 충분한 여건이라고 하는 점은 별개이다. 이 카드는 다소 환상적인 일면을 갖고 있기 때문에 영적인 감각을 일깨워서 어려운 일을 헤쳐간다고도 볼 수 있다. 비현실적인 문제를 대처하는데 강하며 사람들의 심리를 조종하고 자신이 유리한 쪽으로 이끌어가는 능력도 좋다. 한 번 마음먹은 것에 대해서는 포기할 줄 모르기 때문에 결국은 불가능한 것도 가능하게 만든다.

부정적으로 작용할 때의 리딩

자신이 계획한 일이 아니더라도 남들에게 자극을 주고 있다. 그래서 많은 오해와 억측을 몰고 다니게 된다. 이러한 부분은 자신의 능력으로 조절할 수 없는 부분이기도 하다. 그래서 운명론을 자주 들먹거리게 된다. 하나의 생각에 집착하면 다른 나머지의 일은 팽개친다. 그리고 그 하나의 생각을 현실화하기 전까지는 어딘가 틀어박혀서 폐인처럼 지낼 수도 있다. 그럴 때 자신의 마음을 알아주는 사람을 만나서 도움을 받는다면 좋겠으나 그렇지 못하다면 스스로의 힘으로 거기에서 빠져나오는 것은 어려워 보인다. 가족으로부터도 외면받을 수 있다.

이 카드를 솔루션으로 활용할 때의 리딩

자신의 사연을 관철시키기 위해 끝없이 나타나는 처녀귀신 카드는 포기를 모르는 끈질긴 면을 강조하고 있다. 그러한 결과로 담대한 사또를 제대로 만나서 결국 원하던 바를 이루어 낸다. 이 카드는 영적인 작용이 있거나 그런 위험이 있을 때 솔루션으로 사용해볼 수 있다. 주변에 자신에게 호소하는 보이지 않는 존재가 있다거나, 아니면 마음속으로 감추어둔 말을 밖으로 꺼내지 못하고 당신의 주변을 배회하는 사람이 있을 수 있다. 그 존재들은 당신을 용감한 사또같은 해결사로 여기고 있는지도 모른다. 명상을 하거나 자신이 믿는 종교가 있다면 그것에 의존해서라도 일을 빨리 해결하는 것이 좋다.

46. 길 떠나는 사람

46. 길 떠나는 사람

달빛 받은 새벽길을 떠나는 남자와 이를 배웅하는 여인의 모습이 구슬프다. 마당에서는 흰 개도 이러한 송별의 장면이 아쉬운지 울고 있다. 언제 돌아올지 기약이 없는 헤어짐, 회자정리 거자필반(會者定離 去者必返), 먼 훗날 다시 오기를 바라는 마음이 느껴진다.

KEYWORD

남모르는 고민, 슬픔, 일시적 헤어짐, 임시로 떨어져 지내야함, 역마살, 개인적으로 겪어야 하는 현실적 고뇌, 타인은 알지 못하는 자기만의 기억, 가족의 일, 외국으로 가는 유학, 전근, 이사도 때로 포함됨.

긍정적으로 작용할 때의 리딩

자신의 터전과 고향을 떠나야 할 변수가 생긴다. 그 결과가 어떻게 될지 지금은 알 수 없으나 변동이 있는 것은 확실하다. 이동수가 없거나 답답할 때는 반가운 카드가 된다. 경제적으로 도움이 될 만한 정보를 얻고 즉시 실행에 옮긴다. 한편 고단한 여행길에 오르는 모습이기도 하다. 하지만 집의 가족들을 먹여살리기 위해서는 큰 결단을 내려야 한다. 멀리 장기 출장을 가거나 아이들의 유학을 위해서 헤어져 지내는 부부 등 여러가지 경우를 생각해볼 수 있다. 이별은 또 다른 시작을 위해서 감내해야 하는 부분이다.

부정적으로 작용할 때의 리딩

먼 길을 떠나게 됨으로써 알 수 없는 위험에 노출되는 것이 제일 걱정거리이다. 현대에도 각종 매체가 잘 발전되어 있다고는 하지만 객지에서 낯선 여행자가 겪는 어려움은 여전히 존재한다. 예고되어 있지 않은 각종 위험에 노출되는 것이다. 그 때문에 가족이나 떠나는 사람이나 모두 불안하긴 마찬가지다. 하지만 지금은 일이 주어져 있으니 일정대로 떠나야만 한다. 불확실한 미래는 어느 것도 보장해 주지 않는다. 요즘엔 보험이라는게 있지만 사실 그것도 모든 것을 막아주지는 못한다.

이 카드를 솔루션으로 활용할 때의 리딩

가족의 생계를 책임지고 먼 길을 떠나는 이와 배웅하는 가족이 슬프기만 하다. 옛날에는 소식을 알 길이 없으니 헤어지는 가족이 그저 무사히 돌아오기만 바랄 뿐이었다. 혼자서 모든 것을 책임지고 가야하는 건 사실 모든 인생길이 비슷하다. 괴로움이나 슬픔은 남과 나눌 수 있는 것이 아니다. 가족이라해도 그렇다. 지금은 그런 순간이 아니라고 스스로를 위로할 수 있을지 몰라도 결국 혼자가 되는 순간이 다가온다. 이 카드는 어른스러운 결정을 해야할 때나, 비로소 집으로부터 독립하게 될 때 자기 자신을 대하는 힘을 길러줄 것이다.

47. 주막

47. 주막

부뚜막에서는 연기가 오르고 있고 요리가 익어 가는데 외상값을 받지 못한 것인지 주모의 얼굴이 그다지 좋지 못하다. 그러면서도 딱히 사내들을 내보낼 생각은 없는 것 같다. 눈치 없는 사내들은 얼큰하게 취해서 그저 즐겁기만 하다.

KEYWORD

그다지 심각한 사태는 아니지만 약간의 소요가 있을 수 있다. 깊이 없는 사람들끼리의 어울림, 술자리, 의미 없는 지리멸렬한 모임. 서로 입장이 다른 사람들끼리의 대화, 다른 목적을 가진 사람들끼리 만나게 된다. 뜬구름 잡는 소리, 이루어지지 않을 약속들.

긍정적으로 작용할 때의 리딩

눈치가 있으면 절간에 가서 새우젓을 얻어먹는다는 옛말이 있는데 눈치가 없어서 배짱 편한 경우가 있다면 바로 이 카드이다. 마냥 술을 나누며 즐거워 하는 두 사람에겐 지금만큼 행복한 시간이 없어보인다. 물론 다른 사람은 짜증나지만 본인은 전혀 그것을 모르고 있으니 그런대로 또 시간이 흘러가고 있다. 나중에 책망을 받을지언정 지금은 자기 기분대로 일을 보는 셈이다. 한 편으로는 한량없이 속편한 사람이다. 철이 없는 건지 분별을 모르는 건지 딱하다. 그런데도 자기 자신만 즐거우면 상관이 없으니 당분간은 행복한 인생이다.

부정적으로 작용할 때의 리딩

기분 좋게 술을 마실 때는 외상값이 늘어나는 것을 알 길이 없다. 그렇다고 해도 나중에 엄청나게 큰 금액을 내어 놓거나 물어내게 될 때가 되면 비로소 공포가 몰려올 것이다. 그간 제 정신을 못 차리고 부어라 마셔라 한 댓가가 기다리고 있다. 게다가 주인인 여성이 잔뜩 화가 난 것도 알아차리지 못했으니 자기 기분에 취해서 지낸 시간을 무척 반성해야 할 것이다. 밀린 돈을 계산하고 나면 두 번 다시 반갑게 맞아줄 일은 없다. 거래처가 끊어지고 자신의 연락을 받지 않는 사람이 늘어나고 있지는 않은가? 그 이유를 모른다면 이 카드를 잘 살펴보자.

이 카드를 솔루션으로 활용할 때의 리딩

자신의 행복이 중요하다면 남에게 피해를 끼쳐선 안 된다. 하지만 사람이란 매우 이기적인 동물이어서 자기 자신만 편하고 행복하면 된다는 안일한 생각을 한다. 그것이 딱히 악의없이 한 행동이라고 하더라도 밉살스럽긴 매한가지다. 나이가 젊으나 늙으나 습관적으로 그렇게 하는 이들도 있다. 즉 나이가 든다고 해서 이런 버릇을 고치기 쉽지 않은 탓이다. 이 카드를 솔루션으로 쓴다면 제정신을 차리고 남에게 환영받지 못하는 자신의 태도를 한 번 더 생각해보는게 좋을 것이다. 상대방이 머리끝까지 화가 나서 지적할 때까지 피해를 끼치고 있지는 않은가 돌아보자.

48. 밀회

48. 밀회

물레방앗간에서 몰래 만나는 남과 여, 서로가 싫지 않은지 얼굴에 홍조가 깃들어 있다. 이것을 몰래 엿보는 제3의 여자도 보인다. 이 여자의 경악하는 표정으로 미루어 짐작하건데 금기시 하는 사랑이거나 신분의 차이가 많이 나는 만남일 가능성도 높다.

KEYWORD

만나는 커플은 행복한 상황이지만 로맨스일지 스캔들이 될지는 아직 모를 일이다. 둘 사이의 일을 알고 있는 사람이 있으니 비밀은 오래 가지 못한다. 작은 즐거움 때문에 큰 것을 포기할 수도 있다. 명분이 없다.

긍정적으로 작용할 때의 리딩

조용히 계획을 세우거나 자신과 뜻을 함께하는 사람을 만날 때 좋은 카드이다. 겉으로 드러내지 않고 물밑에서 일을 진행하기 위해서는 가끔 개인적인 관계를 활용해야 할 때가 많은데 이 카드는 그런 계책이 통한다는 의미이다. 그래서 비공식적인 만남으로 어려운 문제를 해결하게 될 수도 있다. 상대도 그런 만남을 청해오기를 기다리고 있을 수도 있으니 과감하게 연락해도 좋을 것이다. 연애운에서도 나쁘지 않은 카드이므로 상대와 인연이 닿는다고 해석할 수 있다. 단지 다른 이들의 눈에 뜨이지 않게 만나야 하는 애로가 있다.

부정적으로 작용할 때의 리딩

아무리 비밀스럽게 만나려고 해도 누군가 지켜보는 시선이 있다. 세상에 영원한 비밀은 없다. 지나치게 열중해 있어서 다른 사람들에게 들키거나 노출되고 있다는 점도 깨닫지 못하는 것이다. 매우 난처한 일이 곧 발생한다. 완전무결하게 일을 진행하고 있다고 착각하고 있기에 비밀이 폭로되는 것은 시간문제다. 옛 역사에도 꼭 한두 명의 폭로 때문에 위대한 혁명이 좌절된 경우가 많았다. 최측근의 사람이 따라붙어서 일을 다 망쳐놓는다. 주변을 더 경계해야 하지만 이미 다 들켜버린 상황일 수도 있다.

이 카드를 솔루션으로 활용할 때의 리딩

역사는 은밀하게 이루어지는 것이고 그것이 망쳐지는 것도 소소한 이유 때문이다. 개인의 일이건 국가적인 일이건 마찬가지다. 그래서 말과 행동을 조심하지만 아무리 노력한다고 해서 되는 일이 아니며 때로는 운에 맡겨야 할 때도 있다. 이 카드는 위험한 솔루션을 해결해야 할 때 주의하라는 신호로 받아들이는것이 좋다. 일의 마무리까지 방심하지 않고 해결해 가야 하는 것이다. 그러한 점은 당신을 더욱 신중한 사람으로 만들어줄지도 모른다. 외부에 드러내지 않고 은밀하게 일을 진행하는 것이 더욱 효과적이라는 암시도 있다.

49. 저주인형

49. 저주인형

어떤 목적을 달성하기 위하여 짚으로 사람의 형상을 만들어 놓은 것이다. 자신에게 닥칠 액운을 소멸시키기 위하여 사용되기도 하였고 때로는 저주를 행하기 위하여 지위고하를 막론하고 이용하기도 하였다.

KEYWORD

누군가 나에게 악의를 품고 고의적인 행위를 하거나 하려고 계획 중이다. 스스로 깨닫지 못하는 사이에 수렁에 빠져들고 있다. 음모에 이용될 수도 있다. 매우 조심성 있게 사건을 해결해 가야 하고 주변인들이 믿을 만한지 재점검해야 한다. 원인을 제대로 발견하지 못하면 곤란한 지경에 처한다. 건강이 악화된다.

긍정적으로 작용할 때의 리딩

저주 인형이 긍정적인 경우는 거의 없다. 그나마 다행이라고 하는 것은 저주에 걸린 것을 알아채고 적극적으로 대처를 했을 때 뿐이다. 그러나 잘 알아채기 힘들기 때문에 이것을 알아낸 것만 하더라도 행운인지도 모른다. 평소 눈치가 빠르거나 감각이 예민한 사람인 경우에는 자신을 포함한 주변의 모든 것이 평소와 다른 것에 대해 잘 파악한다. 그리고 그렇게 된 원인에 대해서 재빨리 관찰하고 알아낸다. 둔하거나 자신과 주변 인물에 대해서 관심이 없는 사람의 경우는 다를 것이다. 또한 주술은 저주인형만으로 걸리는 것은 아니다. 악한 마음을 먹는 것도 같은 효과가 있다.

부정적으로 작용할 때의 리딩

누군가로부터 공격이 예상된다. 그것은 곧바로 행동으로 나타날 수도 있고 저주술을 행한다든가 해서 음성적인 공격일 수도 있다. 다양한 방면으로 당신을 해치려는 존재가 있다는 것을 알아야 한다. 그리고 그 기간은 매우 오래 걸릴 수도 있다. 당신은 최근 몸이 아프거나 일이 꼬이는 등의 불운을 맞고 있지 않은가? 그렇다면 그 이유가 당신 자신의 잘못일 수도 있지만 다른 이의 방해 공작일 수도 있다는 점에 대해서 생각해보자. 생각보다 주술의 효과는 강력해서 매우 오랫동안 당신은 위험에 그대로 노출된 것일 수 있다.

이 카드를 솔루션으로 활용할 때의 리딩

주술의 솔루션이라고 하는 것은 남을 해친다는 의미에서는 좋지 못하다. 그러나 그 이외의 것에서는 가능하기도 하다. 그래서 어떤 일을 도모하기 위해서는 주술적인 힘을 빌려야 한다고 해석할 수도 있다. 실제로 이러한 경험이 없는 사람이라고 하더라도 불현듯 떠오르는 생각이나 직감이 잘 들어맞을 때가 있듯이 결코 무시할 수 없는 것이 주술의 세계이다. 이 카드는 주술이 필요한 시기가 되었다는 것을 알려주기도 하지만 악의적인 주술로부터 자신을 방어하는 방법에 대해서도 경고한다. 미리 대비하는 것이 여러모로 좋을지도 모른다.

50. 폭포 수련

폭포 아래 가부좌를 틀고 수련하고 있는 남자의 사연은 알 수 없으나 비장 함이 느껴진다. 그 아래 고기들이 헤엄을 치면서 남자의 얼굴을 유유자적 바라본다. 도사 또는 도인의 길을 가는 사람일 수도 있고 속세의 고통을 잊기 위해 폭포 수련을 하고 있는 중일 수도 있다.

KEYWORD

남의 심각함이 나에게 그다지 와 닿지 않는 상황이거나 나의 심각함을 상대가 모르는 상태. 매우 굳은 결의에 차 있지만 고독하기 이를 데 없이 힘든 시간을 겪어야 한다. 고통의 시간이 흐른 뒤에 어떤 결과가 있는지는 알 수 없다. 마음의 번민을 가라앉히기 위해 육신을 힘겹게 하기도 한다.

긍정적으로 작용할 때의 리딩

귀가 얇아서 이리저리 휘둘리며 줏대 없이 사는 사람보다는 강직하게 자기 갈 길 가는 사람이 멋져보인다. 이 카드의 인물은 폭포를 맞아가면서도 자리를 지키고 앉아서 무게 중심을 잡고 있다. 자신의 굳은 의지는 강한 폭포의 물줄기도 이겨낼 만큼 세다는 것을 보여주는 것 같다. 겉으로는 험난하더라도 내면의 고요함과 평화를 누리기 위해서는 한동안 자기 고집대로 하는게 좋을지도 모른다. 남의 말은 들어봤자 도움도 안 될 뿐더러 오히려 방해만 된다. 어차피 자기 인생은 자기가 살아가는 것이다. 자기 소신대로 밀고 나가는게 좋을 때가 있다.

부정적으로 작용할 때의 리딩

고집불통인 당신은 남의 말을 들을 생각이 없다. 덕분에 유혹에도 꿋꿋하지만 좋은 조언자가 와도 외면하고 포기해버리는 것이 많다. 세상과의 인연을 모두 끊어내고 자연인으로 산다고 해서 만사가 해결되면 좋겠으나 그렇지 못한 것이 사람의 인생이다. 그럼에도 자기 고집을 누그러뜨릴 생각이 없으니 귀를 닫고 사는 것과 매한가지다. 이런 당신에게는 어떤 호의의 손길도 줄어들 것이다. 귀머거리도 아니고 절연하고 살고자 하는 모습으로밖에 비춰지지 않는다. 심하면 가족들조차도 당신을 찾지 않을지도 모른다.

이 카드를 솔루션으로 활용할 때의 리딩

복잡다단한 현실을 벗어나서 자신만의 세계를 추구하는 사람에게 이 보다 더 안성맞춤인 카드는 없을지도 모른다. 천상천하 유아독존이다. 그 결과가 좋든 안좋든 그런 것은 중요하지 않다. 다만 과정을 중요시하는 사람에게는 이 길 뿐이다. 자신의 행동에서 비롯된 남들의 오해가 있을지라도 어쩔 수 없다. 당분간은 그것을 무시하는 배짱 정도는 있어야겠다. 또 이 카드는 종교인이나 수도인에게서도 많이 나오는 카드이다. 역시 세속을 벗어나서 심오한 경지를 깨닫기 위해서는 일반 사람들이 행하지 않는 고독한 길을 가야만 한다.

51. 총각귀신

51. 총각귀신

몽달귀신 이라고도 하며 장가를 가지 못하여 처녀에게 원한이 맺힌 존재로 밤에 처녀가 잘 때 출몰한다. 연애나 결혼이 성사되지 않은 원귀이기 때문에 소통이 되지 않고, 자신이 짝사랑하던 존재에 집착해서 승천을 하지 못하고 그 주변을 서성거리는 귀신이 된다고 한다.

KEYWORD

일방적인 사랑, 또는 감정. 본인의 책임이 아닌데도 일이 얽히고설키게 된다. 남모르는 아픔, 생각보다 일이 간단하게 해결이 될 수 있으나 찾지 못한다. 원인을 찾는데 더 오랜 시간이 걸릴 수도 있고 때로는 영원히 원인을 찾지 못할 수도 있다. 신체적 정신적으로 건강이 악화될 수 있다.

긍정적으로 작용할 때의 리딩

이 카드가 긍정적인 경우는 거의 없다. 다만 꿈에서나 직감적으로 영적인 존재가 느껴질 때 자신이 빨리 그것을 느끼고 대비책을 세운다면 그나마 낫다. 영혼들은 살아있을 때의 기분을 그대로 이어가는 경우가 많다. 마지막을 좋게 장식하는 망자도 있지만 반대로 그렇지 못한 경우에는 살아있는 사람들의 세계를 맴돌고 집착한다. 당신이 자신의 삶을 위해서 적극적으로 대처한다면 분명히 긍정적인 결과가 따라올 것이다. 스스로 방법을 찾을 수 없다면 전문적인 상담사나 종교의 힘을 빌려보는 것도 나쁘지 않다.

부정적으로 작용할 때의 리딩

당신이 최근 몸이 아프거나 이유 없이 우울해질 때 그 원인에서 이 카드가 나온다면 매우 불리하다. 이러한 영적 작용은 쉽사리 해결되지 않으며 뿌리 뽑는데도 많은 시간을 요하기 때문이다. 게다가 망자가 당신과 예전에 인연이 있었던 사람이라고 한다면 문제는 더욱 심각해진다. 보통 이러한 원령들은 자신이 원하는 바만 요청하고 상대방의 입장 따위는 전혀 배려하지 않는 공통점을 지닌다. 그래서 지속적으로 살아있는 사람들에게 붙어 있으면서 서서히 그 생기를 잠식해 들어간다. 대화가 안되는 사람과 종일 이야기해야 하는 답답함을 떠올려보라. 바로 이 망자와의 소통이 그럴 것이다.

이 카드를 솔루션으로 활용할 때의 리딩

옛날에는 결혼하지 못하고 죽은 남자를 몽달 귀신이라고 해서 아주 끈덕진 원귀로 불렸다. 짝사랑 하다가 죽은 귀신도 마찬가지다. 상사병은 약도 없다는 불치병이다. 그래서 그 상태로 죽으면 한이 많다. 이 카드는 매우 불길한 기운이 뻗치고 있으므로 주의해야 한다는 경고로 받아들여야 한다. 이런 기운을 가지고 있는 사람을 만났거나, 그런 장소에 갔거나, 혹은 가족 중에서 슬픔이 많은 망자가 있다거나 할 때도 자주 등장한다. 자신과 인연이 있는 종교의 힘을 빌려서 적극적으로 대처하는 것이 좋다.

52. 점사

52. 점사

쌀과 엽전을 이용해 점을 보는 무당의 앞에 손님이 앉아 있다. 집안의 대소사부터 매우 은밀한 고민까지, 예전의 사람들은 무당에게 찾아가 친근한 상담을 하곤 하였고 이는 매우 자연스러운 일이었다.

KEYWORD

남의 조언을 들어야 한다. 때로는 나와 상관이 없는 사람에게서 해답이 나오기도 한다. 혼자 독단적으로 처리하지 말고 여기저기 정보를 수집하는 것이 좋겠다. 이때는 비밀을 공유하는 것도 나쁘지 않다.

긍정적으로 작용할 때의 리딩

최근 당신은 자신에 대한 중요한 문제를 타인과 상의했다. 그리고 거기에서 중요한 힌트를 얻었다. 그것은 점괘를 본 것일 수도 있고 다른 전문가와의 상담이었을 수도 있다. 어느 쪽이든 당신은 자신의 고민에 대해서 해결할 방법을 찾은 듯 하다. 아직은 정보를 좀 더 수집하고 어떤 것이 가장 좋은 방법일지 생각해보자. 시간이 좀 더 남아 있다는 점에서 매우 긍정적이다. 쫓기듯이 결단을 내려야 하는 상황은 아니다. 마음은 번민하고 있지만 객관적으로 봐선 비관적이지 않다. 고민이라고 하는 것은 당사자에겐 매우 심각하지만 남이 봤을 땐 전혀 그렇지 않은 것도 많고 오히려 쉽게 해결될 것들이다.

부정적으로 작용할 때의 리딩

이 카드는 망설이고 있을 때 자주 등장한다. 그리고 자신이 결정을 내려야 하는 것을 주저할 때도 나온다. 결국 중요한 것은 자신의 몫으로 남겨져 있다. 사공이 많으면 배가 산으로 간다는 말처럼 타인의 의견을 듣고 마음이 흔들리지는 않는지 생각해보자. 자신에게 가고자 하는 목표가 전혀 다른 것으로 변해버릴 수도 있는 문제이다. 이미 해답이 나와 있는데 시간을 질질 끌면서 자신의 마음을 위로받고자 여기 저기에 자신의 고민을 상담하러 다니고 있지나 않은가 반성해보다. 그렇게 해본들 현실은 바뀔게 없다. 결국은 당신이 행동으로 옮길 때만이 모든 것이 변할 것이다.

이 카드를 솔루션으로 활용할 때의 리딩

이 카드를 솔루션으로 활용한다면 가까운 사람에게서 중요한 어드바이스를 요청할 수 있다. 혼자서 독단적으로 결정내리지 말고 자신의 주변에서 도와줄 이를 잘 찾아보면 반드시 필요한 정보를 얻을 수 있다. 그리고 좋지 않은 일은 아직 일어난 상태가 아니니 극단적으로 생각할 필요가 없다. 희망을 가지고 천천히 주변을 돌아보고 자신에게 유익한 방향으로 일을 처리하면 된다. 당신은 의외의 장소, 혹은 의외의 사람으로부터 고민거리의 완벽한 해결책을 얻을 수도 있다.

53. 사냥꾼들

53. 사냥꾼들

눈밭에서 도망치는 노루의 발자국을 따라 사냥꾼들이 추격하고 있다. 노루는 막다른 길에 이르렀는지, 추격당하고 있는지를 잊어버리고 방심한 듯 잠시 멈추어 있다. 곧 사냥꾼들에게 유리한 상황이 벌어질 것 같다.

KEYWORD

다수의 사람이 연합하여 어떤 일을 도모하게 되며, 나 자신이 노루의 입장인지 사냥꾼의 입장 인지를 판별해서 적용해야 한다. 만일 사냥꾼의 입장이라면 걱정할 것이 없으나 노루의 입장이라면 진퇴양난이므로 빨리 해결책을 모색해야 한다. 어쩌면 좀 늦은 상황일 수도 있다.

긍정적으로 작용할 때의 리딩

오랫동안 공들인 일이 드디어 결과를 눈앞에 두고 있다. 그것은 사냥꾼의 입장에서 보는 리딩으로 제법 그럴싸한 결말을 예고해주고 있다. 이제 눈앞에 실체가 드러나는 일이다. 남들에게 자신의 공을 인정받거나 증명할 기회가 생기기도 한다. 도망치는 동물을 사냥해야 하는 것은 결코 쉬운 일이 아니다. 언제든지 빠져나가기만 하는 일을 비유하는 것이기도 하다. 뭔가 목표를 달성할 것만 같았지만 꼭 놓치고 말았던 일이다. 그러나 이제 당신이 그것의 열쇠를 쥐고 있다. 당신은 자신의 힘으로 거의 막바지에 도달했고 목표를 달성하기 직전이다.

부정적으로 작용할 때의 리딩

당신으로 인해서 궁지에 몰린 사람이 있다면 지나치게 몰아부치지 않는 것이 중요하다. 마지막을 남겨두고 있는 일이 있다면 끝까지 방심하지 않는 것이 필요하다. 이 카드는 최후의 순간에조차 어떻게 될지 모르는 변수에 대해서 알려주고 있다. 아무리 유능한 사냥꾼이라고 하더라도 실수가 있을 수 있다. 목표를 이루기 전에는 이룬 것이 아니고 끝이 나야 끝나는 것이다. 일의 결말을 목전에 두고 당신은 자신감에 가득 차서 주변에 자랑하고 다니기 바쁜 것은 아닐지 생각해보라. 끝맺음이 허술하게 되지 않을지 걱정되는 상황이다.

이 카드를 솔루션으로 활용할 때의 리딩

어느 쪽이 자신의 입장인지 잘 생각해보자. 쫓기는 자의 입장인가, 쫓는 자의 입장인가가 이 카드의 솔루션을 다르게 볼 수 있다. 만일 쫓기는 자의 입장이라면 섣부른 행동은 삼가하는 것이 좋다. 쫓는 입장이라면 이제 결말을 앞두고 심기일전 해야한다. 아무리 약한 짐승도 코너에 몰리면 어떻게 돌변할지 모르기 때문이다. 그래서 만만하게 보고 일을 진행하면 안 된다. 이 카드는 오로지 사냥꾼에 대해서만 말하고 있지는 않다. 현대인이 삶은 전쟁과도 같다. 여기서 살아남기 위해서는 전력투구를 해야하는 피곤함이 있다. 또한 용의주도함이 필요할 것이다.

54. 관아

54. 관아

예전에 관원들이 나라의 일을 보던 건물로 그 앞에 죄인이 끌려와서 심문을 받기 직전 상태이다. 억울한 일을 당하거나 누명을 쓴 것일 수도 있으나 지금으로선 관원에 의해 이 사람의 몸이 구속받고 있는 상황이다.

KEYWORD

관재가 벌어지거나 공무적인 일에 연루된다. 그다지 유쾌한 일은 아니며 공적인 서류나 사건에 엮이게 된다. 본인이 선의에 의한 것이든 아니든 지금은 그것이 중요한 상황이 아니며 시간이 한참 흐른 후에야 시시비비가 가려지게 될 것이다. 육체적, 정신적으로 매우 힘들게 될 수도 있고 에너지가 낭비된다.

긍정적으로 작용할 때의 리딩

당신이 답답한 상황에 처한지 오래 되어서, 누군가 나타나서 결말을 지어주거나 판결을 내려주면 좋겠다고 생각했을 때 이 카드는 긍정적이다. 어떤 방법으로든 결말이 나기 때문이다. 그래야 모든 것을 체념하고 새로운 페이지의 인생을 펼쳐갈 수 있는 것이다. 살다 보면 얽어맨 인연이나 일이 많아서 해방되지 못하는 일이 부지기수다. 그것을 사람의 인생이라고 하는지도 모른다. 그래서 때로는 제3자로부터 중재, 판단, 조언을 필요로 한다. 교통정리를 해주기를 바라는 것이다. 엄격한 법률적 판단을 상징하는 카드이지만 꼭 그런것만은 아니고 일상 생활에서도 충분해 적용해 볼 수 있다

부정적으로 작용할 때의 리딩

자신이 충분히 해결할 수 있는 일임에도 불구하고 일부러 판단을 남에게 미룬다. 당신은 그런 의미에서 머리가 좋은 사람일 수도 있다. 또는 당신 자체가 남으로부터 어떤 제재를 받거나 봉변을 당할 수도 있다는 점을 유념해야 한다. 예정된 일이거나 전혀 깨닫지 못하는 사이에 갑자기 이루어지는 일이기도 하다. 당신은 이 일로 인해서 많은 것을 경험하게 되고 위축될 것이다. 관공서에 불려가서 좋은 일은 그다지 없다. 상을 받는 것이 아니라면 십중팔구는 자신이 해야할 의무와 관련된 것임이 분명하다. 간단하게는 연체 세금고지서가 도착할지도 모른다.

이 카드를 솔루션으로 활용할 때의 리딩

자신이 지금까지 양심적으로 살아왔다고 자부하더라도 문제는 발생하게 마련이다. 모든 면에서 완벽하게 대비하고 있다고는 하지만 계획적으로 공격하는 이들을 모두 막아내기는 어렵다. 또 운세의 변화도 자신이 모두 다 알 수 있는 것은 아니다. 어떤 부분을 매우 자신 있게 잘 대처해 오다가도 어느 순간 방향키를 잃고 헤매는 것이 사람의 인생이다. 그러므로 이 카드를 솔루션으로 하고자 한다면 마음을 굳게 먹고 자신이 남으로부터 지탄받을 일을 해오지 않았는가 한 번 되돌아보는 것이 좋다. 손바닥으로 하늘을 가릴 순 없는 것이다. 만일 당신이 떳떳하다면 이 카드는 당신을 힘들게 한 상대방에게 돌아갈 것이다.

55. 정화수 기도

새벽에 길은 깨끗한 우물물을 떠 놓고 기도를 하는 여인의 모습에서 정결함이 느껴진다. 예전의 어머니들이 이렇게 가족들의 건강과 운을 위하여 기도를 하는 모습은 특별한 것이 아닌 일상적인 생활이자 삶이었다. 천지가 고요한 시간에 모든 것을 깨끗하게 하는 정화수의 힘이 느껴진다.

KEYWORD

평범함 속에 비범함이 있다. 모든 일은 정성으로 이루어지니 형식적인 것과는 맞지 않다. 정서적인 것과 연관이 있다. 남이 알아주는 것과 상관없이 나의 일을 해야 한다. 결과는 좀 늦게 나올지라도 그에 합당한 것이 기다리고 있다. 청정함이 요구된다. 탁한 사람이나 일은 맞지 않다. 말(소리)을 하는 일과는 인연이 없다.

긍정적으로 작용할 때의 리딩

당신은 자신이 마음 깊이 바라고 있는 것을 이루고자 한다면 기다림이 필요하다는 것을 알고 있다. 남에게 보여주기 위한 것이 아니다. 자기 자신만이 알고 있는 가치와 소원에 대한 것이다. 한편 당신의 그러한 모습은 주변인들로부터 지겹다거나 둔한 사람이라는 평가를 받기 쉽다. 너무나 빠르게 흘러가는 현대에 천천히 살아가려고 하는 것은 비난받고 능동적이지 못하다고 지적받는다. 그러나 당신의 내면은 강인하고 절대 수동적인 사람이 아니며 오히려 그 반대이다. 결국 끈기와 인내는 당신을 성장시키고 합당한 보상을 해줄 것이다.

부정적으로 작용할 때의 리딩

당신이 원하는 일은 단기간에 이루어 지지 않는다. 많은 시간을 애를 태우고 공을 들여야만 할 것이다. 누군가로부터 연락을 기다리고 있다든가 하는 간단한 것에서부터 몇 년간 공부하고 어렵게 시험을 치르고 그 결과를 기다린다거나 하는 문제에 이르기까지 이 카드는 인내력을 요구한다. 당신이 성격이 급한 사람이라면 이러한 상황을 견디기 힘들지도 모른다. 부정적인 결말이 나오더라도 빨리 알고 싶다고 생각하는 사람이 많다. 오랫동안 희망을 기다린다고 하는 것은 참으로 쉬운 일이 아닌 것은 분명하다.

이 카드를 솔루션으로 활용할 때의 리딩

이 카드는 마음에서 우러나는 정성이야말로 지금 당신에게 가장 필요한 것이라는 점을 일깨워준다. 우리는 삶의 많은 부분을 돈이라든가 명예라든가 하는 쓸모없는 것들로 채우면서 허비하는지도 모른다. 사람을 가장 사람답게 하는 것은 마음으로부터 기원하고 기도하는 행위이다. 그것이 동물과 사람을 나누는 경계이다. 그러므로 이 카드를 솔루션으로 하고자 한다면 당신은 자신의 생활을 좀 더 단순하게 만들 필요가 있다. 그리고 지나치게 물질적인 것을 좋아하던 취향을 변화시켜야 한다. 결국 그러한 것들은 시간이 지나면 당신에게 남아나지 않는다. 오로지 자신의 내면에서 우러나오는 기도만이 남는 것이다.

56. 난파선

56. 난파선

바다 가운데서 배가 침몰하고 있고 사람들이 살기 위해 발버둥을 치고 있다. 배는 이미 절반 이상 잠겨 버렸고 다시 복구될 상황은 전혀 아닌 것 같다. 이제 사람들은 배를 버리고 자신의 목숨이라도 지키기 위해 안간힘을 써야 한다.

KEYWORD

버릴 것은 과감히 버려야 하고 잊어야 할 사건, 사람은 빨리 포기하고 잊는 것이 상책이다. 미련을 가지고 있어 봐야 좋을 것이 없다. 대세가 좋지 않은 쪽으로 흘러간다. 또는 이미 인생의 어떤 페이지가 끝나고 새로운 장을 시작해야 한다고 볼 수도 있다. 사건의 파국이 예상된다.

긍정적으로 작용할 때의 리딩

타고 있던 배가 다 부셔졌다는 것은 지금까지 당신을 지탱해오던 생활 방식이나 직업같은 것들을 다 버려야 한다는 것을 알려준다. 집착해봐도 쓸모 없고 이제는 새로운 시간을 맞이해야 한다. 한동안은 세상이 무너진 것 같지만 제대로 정신을 차린다면 당신 자신은 무사할 것이다. 손에 쥔 것이 없지만 마음을 추스리고 나면 다시 일어설 수 있다. 그러니 지금의 상황에 대해서 절망할 필요가 없다. 오히려 낡았던 배는 버리는게 나을 수도 있다. 부딪혀 오는 불행에 대해서 좌절하지 않는 것이 가장 중요하다. 이번 기회에 오히려 새 삶을 시작할 계기가 되는 것이다

부정적으로 작용할 때의 리딩

지금 최악의 위기가 당신을 덮쳐오고 있다. 그러니 이것 저것 신경 쓸 여력도 없이 단순하게 살아남기 위해서만이라도 최선을 다해야할지도 모른다. 주변 사람들의 도움도 이럴 때는 아무런 의미를 갖지 못한다. 지금의 위험은 당신이 초래한 것일 수도 있고 운명의 흐름에서 찾아온 것일 수도 있다. 또 남의 탓 때문에 그렇게 된 것일 수도 있다. 하지만 이제 와서 그것을 탓해본들 무슨 소용이겠는가. 지금으로선 당신 자신만을 생각하기에도 시간이 모자란다. 당신은 자기 자신만 구제해도 잘 하는 것이다. 돈이라든가 인맥이라든가 다른 것은 다 놓아버려야 할 것이다.

이 카드를 솔루션으로 활용할 때의 리딩

불행과 위기에 어떻게 대처하는 가를 보면 그 사람의 그릇을 알 수 있다. 평소에는 알 수 없었던 진정한 힘을 느끼는 것이다. 이 카드는 그만큼 힘겨운 상황이 벌어지고 있다는 것을 강조한다. 생애를 통틀어 가장 괴로운 순간일 수 있다. 경제적으로 무너지고 건강을 잃은 것이기도 하다. 하지만 사람은 최후의 순간을 맞이하기 전에 최고의 능력을 발휘한다고 한다. 생존이라고 하는 문제는 아무리 문명이 발달한다고 하더라도 쉽지 않으며, 언제나 위기에 노출되어 있는지도 모른다. 인생에는 많은 함정이 있다. 그러나 좌절하지 않는 사람도 반드시 존재한다.

57. 작두타기

57. 작두타기

열두 굿거리에서 신장이 오르면 무당은 작두를 타며 손님의 재수와 복을 빈다. 이로써 사람들은 진정한 신이 강림하신 것을 인정하고, 무당은 더욱 권위를 가진다. 작두는 매우 날카롭게 날이 서도록 갈아야 하고 그렇지 않으면 오히려 무당의 발이 상한다. 부정탄 사람이 작두를 만져서도 안 될 만큼 청정함이 요구된다.

KEYWORD

작은 속임수도 통하지 않는다. 사술을 써서는 오히려 더 해롭게 되므로 정의롭게 해야 한다. 엄격한 심사기준을 통과해야 할 일이 생기기 때문에 많은 준비가 필요하다. 모든 것이 완벽하게 되었다고 방심해서는 안 된다. 미미한 부족함 때문에 전체를 그르친다.

긍정적으로 작용할 때의 리딩

곧 판단의 시기가 닥쳐온다. 한치의 물러섬이 없이 결단을 내려야 하는 순간인 것이다. 지겹도록 당신을 기다리게 하던 일이 있었다면 바야흐로 해결의 실마리가 보일 것이다. 당신이 대의를 위해서 이루어왔던 일이 있다면 남들 앞에서 증명할 수 있는 좋은 기회가 될 것이다. 의도와 결과가 일치되는 순간이다. 비록 두렵고 떨리는 시간이라 하더라도 꼭 필요한 의식같은 것이다. 이것을 해결하고 나면 당신에겐 자부심이 생겨나고 남들로부터도 존경을 받을 것이다. 어려운 통과 의례를 잘 헤쳐나가는 모습이 사람들에겐 신선한 충격을 준다.

부정적으로 작용할 때의 리딩

주의 집중해야 하는 일을 너무 쉽게 보는 것은 아닌지 우려된다. 약간의 부정한 기운이라도 스며드는 것을 꺼려하는 작두타기는 그만큼 위험하다. 아무리 만반의 준비를 했다고 하더라도 힘들 때가 있다. 최후의 순간은 신에게 의탁해야 할지도 모를 일이다. 자신이 모든 준비를 마쳤다고 자만하고 있지 않은지 반문하고 재확인 해야한다. 혹여 혼탁한 기운이 스며들어서 일을 망치고 있지는 않은지도 생각해보자. 뚜껑을 열어보기 전에는 알 수 없는 일이라는 옛말이 있다. 자고로 조심해서 나쁠 일은 없다. 이 카드는 첨예한 차이로 인해서 길흉이 갈라진다.

이 카드를 솔루션으로 활용할 때의 리딩

중대한 결정을 해야하지만 이도저도 선택하지 못할 때 자주 나오는 카드이다. 자신이 갖고 있는 조건 중에서 유리한 것이 무엇인지 계속 따져보지만 사실 아무 의미도 없다. 운명적으로 정해진 길로 갈 뿐이다. 무당이 굿판에서 신을 몸에 실은 것을 증명하기 위해 올라서는 칼날이지만 그만큼 철두철미하게 자신의 이기심을 쪼개고 신과의 합일을 바라는 염원을 보여주는 도구이기도 하다. 그러니 이 카드가 나온다면 그만큼 집중하고 순수한 마음으로 판단해야 함이 옳다. 자신의 이익을 위해서 이런 저런 궁리를 해본들 결국 해결될 것은 없다.

58. 초상

58. 초상

망자가 세상을 떠나가는 길, 사람들이 상여를 메고 동네 밖으로 향하고 있다. 가족들과 마을 사람들이 함께 참여하여 마지막 가는 길을 배웅한다. 살았을 때의 지위와 재력에 따라서 상여의 크기와 화려함이 조금씩 차이는 있으나 떠나보내는 마음은 비슷할 것이다.

KEYWORD

모든 일이 완결됨, 여러 사람의 도움을 받음, 겉으로는 비관적이지만 또 다른 기회가 온다. 가족은 물론이고 자기가 모르는 사람들이 참여하는 매우 큰 규모의 행사, 나의 역할은 지극히 수동적이다. 가족 간의 일 또는 나에게 국한되는 일, 절반은 슬프지만, 절반은 새로운 기회가 생김, 나와 인연이 있는 사람들을 잊어서는 안 된다.

긍정적으로 작용할 때의 리딩

하나의 시대가 끝나고 새로운 시대가 예상된다. 끝이 있으니 시작이 있는 법이다. 비록 마음은 착잡하고 아쉽지만 다가올 인생의 새로운 페이지를 위해서라도 마음을 잘 다잡아야 한다. 상여가 움직여 가지만 그 주인공은 사실 망자가 되어서 잘 알지 못한다. 기운이 바뀌고 새로운 운명의 흐름이 다가오고 있는데 정작 자신만 모르고 있을 수도 있다. 하지만 곧이어 그것은 현실이 될 것이다. 전혀 다른 생활이 기다리고 있고 알지 못했던 세계와 조우한다. 하지만 그것은 당신에게 있어 변화의 또 다른 기점이 될 것이다.

부정적으로 작용할 때의 리딩

자신의 몸이 아프거나 집안의 가족 중에 환자가 있을 때 이 카드가 나온다면 불길하다. 가볍게 여길 병이 아니니 빨리 대처해야 하고 노환으로 계신 어른이 있다면 가족 모두 마음의 준비를 해두는 것이 좋다. 사별과 같은 헤어짐은 누구에게나 닥칠 일이지만 그럼에도 적응되지 않는 것이기도 하다. 굳이 죽음을 생각하지 않더라도 먼 곳을 이민을 가거나 퇴직하거나 하는 문제에도 같이 적용된다. 너무 멀리 헤어지기 때문에 다음에 다시 만날 기약이 없는 사람들이다. 미련과 집착이 남아 있다면 하루 빨리 털어버리는 게 좋다. 이 카드는 연속성이 없으므로 지금이 마지막이라 판단한다.

이 카드를 솔루션으로 활용할 때의 리딩

늘 준비했지만 부족하다. 그것이 인생인지도 모른다. 성실하게 최선을 다해서 임했다고 생각했지만 시간이 흐르고 나면 과거의 모든 것은 아쉬움을 남긴다. 그래서 이 카드는 사람들로 하여금 자만하지 않고 겸손하게 만들어주는 효과가 있다. 누구나 태어났으니 한 번은 결말을 맞이하는 것이다. 자신의 마지막을 생각해본다면 지금 이 순간을 어떻게 살아가야 할 것인지에 대해 더 현명해 질지도 모른다. 누구나 그럴 때가 되면 현자가 되고 삶의 근본을 돌아보게 된다. 이 카드는 절망과 마지막만을 암시하고 있지는 않다. 오히려 인생을 연속적인 하나의 과정으로 보는 지혜를 제공한다.

59. 훼손된 무덤

오랫동안 돌보지 않은 누군가의 무덤이 쓸쓸하다. 산짐승의 발자국이 보이고 앞의 비석은 깨졌으며 무덤의 일부가 파헤쳐져 있다. 한국인들은 예전부터 조상의 무덤을 후손들이 잘 관리하고 돌보는 것을 당연한 의무로 여겼다. 이렇게 버려진 무덤은 후손이 찾지 않거나 돌볼 여력이 되지 못할 만큼 쇠락하였다고 볼 수 있다.

KEYWORD

연관 고리가 끊어짐, 복의 근원이 상실되고 훼손되었으나 모르고 있을 가능성이 높다. 한때 나에게 더없이 중요했으나 지금은 까맣게 잊어버린 존재, 뒤늦은 후회. 명예롭지 못한 결과, 오랜 세월이 흘러 희미해진 사람 또는 그러한 인연.

긍정적으로 작용할 때의 리딩

조상의 묘가 탈이 났는데 좋을 일은 없다. 그러므로 긍정적인 리딩은 찾기 힘들다. 다만 이러한 기미를 남들보다 빨리 알아차리고 대책을 세운다는 표현이 더 맞을 것 같다. 다른 이들보다 센스가 있거나 꿈으로 알아내기도 한다. 평소 묘소를 자주 찾고 관리하는 효자들은 이상이 있는 것을 대번 찾아낸다. 반면 일 년에 한번 갈까말까 하는 후손들은 이 문제를 알 길이 없다. 조상의 힘으로 발복하는 자손들은 다 이유가 있다. 돌아가신 부모님을 죄다 귀신으로 치부하면서 외래 종교만을 섬기는 자손들을 조상이 반겨줄 리는 없다. 당신이 이 카드의 의미를 되새긴다면 그나마 지혜로운 사람이다.

부정적으로 작용할 때의 리딩

조상 대대로 모셔진 묘소가 파헤쳐진 것은 매우 불길하다. 자신의 근원이 손상되었다고 여기는 것이다. 대대로 혈통으로 이어진 유대를 중요시하는 문화에서 이보다 더 흉한 것은 없다. 그런데 묘탈로 인해서 생기는 애로사항은 현실적으로 파악하기가 힘들다. 자손들의 건강이 상하고 재물이 빠져나가는 등의 여러가지 어려움이 생기더라도 그것이 묘탈이라고 파악하는데는 많은 시간이 소요된다. 그 사이에 집안은 몰락하고 마는 것이다. 원인을 파악했을 때는 이미 늦은 후다. 이카드가 나오는 사람들의 문제점은 인식을 못한다는 점이다. 알려주어도 들으려 하지 않는다.

이 카드를 솔루션으로 활용할 때의 리딩

토지를 잘못 건드렸거나 남의 묘소를 자기도 모르게 침범했을 때도 이 카드는 경고를 주기 위해 등장한다. 옛날에는 작은 수리를 하기 위해서 땅을 파야 할 때도 평토제를 지내고 날을 골라서 진행을 했는데 요새는 그냥 막무가내로 하는 곳이 많다. 가끔 고사상을 차려놓고 제를 지내는 곳도 있긴 하지만 아닌 곳도 많다. 이 카드를 솔루션으로 쓰고자 한다면, 이미 자신이 모르는 사이에 부정한 기운을 탔다는 점을 상기하고 그에 대한 대비책을 세워야 할 것이다. 자신의 잘못일 수도 있고 남이 어떤 좋지않은 의도를 가지고 당신의 조상 묘소를 해쳤을 수도 있다. 어느 쪽이든 재빠른 대응이 필요하다.

60. 탑돌이

여인들이 연등을 하나씩 들고 탑을 돌고 있다. 각자 마음속에 소원하는 바는 다르겠지만 염원하는 바는 간절하다. 탑이 신앙의 대상이 되기도 하는 순간이다.

큰 행사의 일원이 되거나 그러한 조직에 소속이 된다. 좋은 사람들을 만난다. 어느 정도의 기간이지만 하나의 목적으로 활동하게 된다. 멈추지 않고 순환한다. 일이 하나의 결과로 귀착되지 않고 꼬리에 꼬리를 물기도 한다.

긍정적으로 작용할 때의 리딩

천천히 이루어지더라도 언젠가는 된다는 확신을 가지고 끊임없이 돌아가는 탑돌이 기도이다. 마치 강을 타고 이동하는 고기떼의 흐름과 같이 거대한 생명력을 가지고 추진해 가는 모습이다. 당신에게 비약적으로 성공하는 변화는 일어나지 않더라도 건강과 안전을 기원해주는 누군가의 힘이 있다는 것을 알아야 한다. 자신의 행복을 빌어주는 이가 있다는 것은 매우 큰 행복이다. 자애로운 시선으로 당신의 가족과 주변 사람들이 당신을 지켜봐주고 있다. 이러한 기운은 지속가능한 사업을 하거나, 배움의 길을 가거나 할 때도 매우 유리한 힘을 실어준다.

부정적으로 작용할 때의 리딩

언제쯤 탑돌이가 끝이 날지 모르겠다. 연속적으로 뱅뱅 돌고 있는 이 흐름은 도무지 결말이 날 것 같지가 않다. 그 의도가 좋았든 안 좋았든 그것은 중요하지 않다. 당신이 성격이 급하다거나 오랜 기간 결과를 알고자 기다리고 있는 입장이라면 딱하기 그지 없다. 더 시간이 걸린다는 표시이므로 답답함이 가중된다. 소식을 기다리는 입장도 매한가지다. 상대방의 결정을 기다리고 있는 상태라면 아직 우물쭈물하느라 답이 없다. 그러니 이 카드가 기도를 위한 탑돌이라고 해서 마냥 좋은것만은 아닌 것이다.

이 카드를 솔루션으로 활용할 때의 리딩

전통이라든가 집안의 가풍이라든가 하는 것은 은근히 사람을 구속한다. 현대에 이르러 조금은 더 개인의 자유가 강조되는 시대가 되었지만 여전히 그런 것은 존재한다. 탑돌이는 하나의 염원을 상징하며 움직여가는 다수의 협력을 상징하기에 당신이 가족의 일원이라면 그 흐름에 동참해야 함을 알려준다. 가족이 모여서 함께 잘 살아가기 위해서 최소한 지켜야 할 규칙이라든가 인내, 협조등에 대한 것이다. 작은 회사나 모임에서도 마찬가지다. 당신은 이 때 스스로를 드러내지 않고 모두의 바라는 바를 잘 살펴서 행동을 함께 하는 것이 좋다.

61. 무구

61. 무구

무당이 굿을 할 때 사용하는 여러 가지 도구로 칼, 방울, 부채, 자바라 등을 일컫는다. 신의 사제인 무당의 길을 가야하는지 시험할 때 선배 무당들이 이러한 무구를 숨겨놓고 애기 무당에게 찾아오게 하는 시험을 거치기도 하였다. 무당의 상징이자 무당의 삶과 함께하는 도구들이며 신을 부르고, 즐겁게 하며, 위엄을 드러낸다.

KEYWORD

무속인의 길을 선택하든가 개인의 운을 개선하는 굿이나 기도를 해야 하는 상태. 나의 노력만으로 되지 않는 상황. 보이지 않는 초자연적인 존재들의 힘을 빌릴 수도 있다. 잠시 쉬었다가 가야한다. 계속 해오던 패턴대로는 해결될 것이 없다.

긍정적으로 작용할 때의 리딩

당신이 자격이 충분한 사람이라면 여러가지 경우의 수를 앞에 두고 있더라도 떨리지 않을 자신이 있다. 시험을 본다거나 엄격한 테스트를 받아야 할지도 모르지만 자신감을 가지고 응해도 된다. 승진을 앞두고 있다면 여러 사람과 경쟁을 하거나 객관적인 시험대에 올라가야 할 것이다. 엄격한 평가를 통과해야 하지만 그렇다고 낙담할 필요는 없다. 그 과정이 험난할 수록 당신이 맛보는 결과는 보람이 있을 것이다. 지금은 모든 것에 주의를 기울이고 집중해야 한다. 당신을 쳐다보는 눈이 많다. 어떤 결정을 내릴지는 모두 당신의 몫이다.

부정적으로 작용할 때의 리딩

이 카드에서는 사람이 빠져있다. 그러니 한 편으로는 자신이 주인공이 되지 못하고 사물이 그 자리를 꿰찬 것이라고도 판단할 수 있다. 예를 들면 직장에서 업무 실적으로만 사람을 판단할 뿐, 협력하는 자세라든가 인품같은 것은 대접받지 못하는 경우와 비슷하다. 사람의 인정에 호소하거나 하는 것은 이럴 때엔 필요가 없다. 어느 정도의 성과를 내지 못한다면 당신이 원하는 자리에 도달하지 못한다. 물건을 소유하는 것도 마찬가지고 사람을 원할 때도 마찬가지다. 취직이나 기타 다른 여건의 모든 소망하는 바가 이루어지지 않는다.

이 카드를 솔루션으로 활용할 때의 리딩

무당으로 거듭나기 위해선 자신에게 그런 자질이 있는지 증명해야 한다. 통과 의례같은 것으로서 무구를 찾아내는 것이 관례였다고 한다. 신의 선생이 산이나 들에 그것을 감추어놓고 나면 무당이 되려는 후보는 그것을 자신의 신력으로 찾아내곤 했던 모양이다. 그러니 어떤 조건에서 자신이 그것을 이루어낼 수 있음을 스스로 행하고 타인으로부터 인정을 받아야하는 어려운 상황이다. 이 카드는 결론만을 말해주고 있지 않으며 오히려 과정을 말하고 있기도 하다. 심기일전해서 자신에게 다가온 이 기회를 붙잡아야 할 것이다.

62. 연 날리기

62. 연 날리가

추운 겨울임에도 아이들이 즐거워하며 연을 날리고 있다. 각각 다른 형태의 연을 날리며 솜씨를 뽐낸다. 그런데 연을 날리는 데 정신이 팔려서 서서히 얼어있는 강 위로 가는지도 모른다. 빙판은 금이 가있고 위험해질 것만 같다.

KEYWORD

행복한 소식 뒤에 연이어 불쾌한 연락을 받을 수도 있다. 또는 그러한 소문이 난다. 겉으로 보이는 것이 전부는 아니다. 그렇다고 커다란 걱정거리가 생기는 것은 아니고 위험이 닥쳤다는 것도 모른 채 지나갈 수도 있으니 긍정적인 마음을 버려선 안 된다. 일촉즉발. 평온해 보이는 일상 뒤의 어두운 이면.

긍정적으로 작용할 때의 리딩

높이 날아오르는 연처럼 당신의 마음도 한껏 꿈에 부풀어 있다. 세상구경도 하고 사람들과 즐겁게 여흥을 돋구어 볼 수도 있다. 날은 비록 춥지만 사람들은 연날리기에 여념이 없고 기분은 연과 함께 이미 하늘을 날고 있다. 소망이 성취되거나 현실적으로 해결해야 하는 일에는 효력이 없을지라도 사람들의 주목을 끌기에는 충분한 일이다. 당신에겐 자기 자신을 뽐내거나 돋보이게 만드는 재주가 있다. 지금은 그렇게 해도 좋은 시절이다. 집안에 있기 보다는 밖으로 나가서 어울리는게 훨씬 좋다. 당신의 재주를 보려고 사람들이 몰려드니 금세 인기인이 될 것이다.

부정적으로 작용할 때의 리딩

두꺼워 보이던 호수의 얼음에 조금씩 금이 가고 있다. 처음에 연을 날리고 있을 때는 이렇게 깊은 호수에까지 발을 디딜 것이라 예상하지 못했다. 남들의 탄성 속에 연을 높이 날리느라 어느새 자신도 모르게 호수 위까지 왔다. 일상의 생활 속에 얼마나 많은 위험이 도사리고 있는지 당신은 알지 못한다. 그것은 평소에는 모습을 드러내지 않고 있다가 갑자기 부서지는 얼음처럼 당신을 망가뜨리고 말 것이다. 지금 당장은 아니다. 그러나 이 같은 요행도 얼마가지 못할 수 있으니 조심해야 한다. 남들의 칭찬에 넋이 빠져서 만용을 부리는 것은 매우 위험하다.

이 카드를 솔루션으로 활용할 때의 리딩

스포츠를 하거나 내기를 위해서 어떤 운동을 하고 있을 때는 자신도 모르게 경쟁심리가 발동한다. 일등이 되어 본들 그다지 큰 이익 없는데도 불구하고 사람의 본성 중에는 그러한 어리석은 욕망이 존재한다. 그래서 별 것 아닌 일로 크게 다치기도 하고 실패의 길로 접어들기도 한다. 이 카드는 일상 생활과 여가 시간에 숨어있는 위험을 미리 알려주는 역할을 한다. 겉으로 매우 잘나보이는 인물이라고 하더라도 루머나 스캔들에 휘말려 괴로움을 겪기도 한다. 자기 자신을 돌보는데에 더 집중해야 한다.

63. 제사

63. 제사

조상이 돌아가신 날을 기리기 위하여 음식을 차리고 추모하는 모습이다. 예로부터 우리나라에서는 대대로 조상의 덕에 감사하기 위하여 집에서 제사 지내는 것을 아름다운 전통으로 여기고 있다. 오늘날에도 그러한 집이 많다. 대부분 장남이 제사를 맡아서 책임지고 지내는 편이다.

KEYWORD

집안, 가족의 일이 발생한다. 내가 아니면 해결할 수 없는 문제, 장남, 맏이가 아니더라도 그런 역할을 해야만 한다. 쉽사리 결과가 드러나지 않는 일이지만 천천히 진행되고 있다. 보수적이며 편견이 있을 수 있다. 나 혼자 독자적으로 행동하기가 힘들다. 주변의 인간관계, 특히 나와 알고 지내는 사람들과의 관계 속에서 행동해야만 한다.

긍정적으로 작용할 때의 리딩

예로부터 조상과 부모를 잘 모시는 집안은 망하지 않고 면면히 이어져가는 생명력을 갖는다고 알려져 있다. 그러니 한국인에게 있어 제사의 문화는 매우 중요한 의미를 갖는다. 이 카드는 단순히 제사를 잘 모시라는 의미로 읽기보다는 조상과 후손의 연결성을 강조해준다고 봐야한다. 그러니 당신에게 이 카드가 나왔다면 조상의 보살핌을 받고 있다고 여겨도 좋을 것이다. 은근히 마음을 의지하고 기댈 곳이 있으니 마음 푸근하게 여겨도 좋다. 어려운 상황에 있다고 하더라고 곧 개선의 여지가 보인다.

부정적으로 작용할 때의 리딩

최근 당신은 중요한 조상의 기일을 잊어버리고 있었다거나 방치하지는 않았는지 되짚어 봐야한다. 설사 제사를 제대로 지냈다고 하더라도 가족들과 싸우고 있다거나 제사에 소홀함이 있었다고 볼 수 있다. 음식만 좋게 진열한다고 해서 조상이 기분 좋게 흠향한다고 보기는 어렵다. 당신과 가족을 보호해주고 늘 염려해주던 조상의 공덕을 하찮게 여기고 있기에 지금 어려움에 봉착한 것일 수도 있다. 사업이 안되고 공부가 안되고 결혼 생활도 힘이 든다. 무엇 하나 제대로 풀려나가는 것이 없이 죄다 꼬일대로 꼬였다.

이 카드를 솔루션으로 활용할 때의 리딩

제사는 연결고리이다. 사람의 삶은 강물처럼 이어져 흘러가는 것이다. 하늘에서 뚝 떨어진 것 처럼 그렇게 태어난 사람도 없고 죽은 이후에도 다른 사람의 손을 빌려 매장하게 된다. 그러니 뭐나 연결 안된 것이 없다. 요즘의 시대에 조상의 제사를 소홀히 하고 망자를 귀신 취급하는 세태는 고쳐져야 한다. 조상을 신처럼 떠받들면서 후손의 발복을 위해 지나치게 섬기라는 것이 아니다. 또 묘소를 화려하게 꾸미고 제샛상을 차리기 위해 낭비하라는 것이 아니다. 간소하고 깨끗한 음식만으로도 고인을 추모하고 기념할 수 있다. 당신 또한 그렇게 함으로써 남겨진 사람들에게 추억될 것이다. 큰 강이 흐르고 있더라도 발원지는 매우 작은 샘물이듯이 현재의 공덕과 성공의 근거지를 조상으로 아는 것은 매우 중요하다.

64. 짝사랑

64. 짝사랑

얼핏 보아도 신분의 차이가 나는 두 사람. 여종은 숨어서 주인의 아들인 도련님을 훔쳐보고 있다. 연모의 시선이다. 이것도 모른 채 졸고 있는 도련님은 공부에는 관심도 없는 것 같고 방바닥에는 놀고 싶은 마음을 상징하는 새총이 놓여 있다. 남자답지도 못하고 성실하지도 않은, 어린이 같은 도련님이 그래도 여종은 마냥 좋다.

KEYWORD

이루어질 수 없는 관계이다. 미성숙한 인간관계, 편견과 오해. 설사 이루어진다고 하더라도 서로에 대해 잘 알지 못하여 갈등의 골이 깊어진다. 실속 있는 일에 집중하지 못하고 정신이 팔려있다. 산만하다.

긍정적으로 작용할 때의 리딩

누군가 당신을 관심을 가지고 지켜보고 있다. 사랑의 눈길이지만 당신은 전혀 깨닫지 못한다. 아니면 당신이 누군가를 애타게 바라보는 입장일 수도 있다. 어느 쪽이든 지금은 서로를 탐색하는 과정이다. 마음은 있지만 서로 사는 입장이나 처해진 상황이 달라서 쉽게 자신을 드러내지 못한다. 하나의 공간에 있더라도 서로의 감정에 대해 전혀 알지 못한다. 책상 아래에 놀이도구가 흩어져 있다는 것은 철부지라는 뜻이다. 아직 누군가의 고백을 받을 상태도 아니고 성숙한 사람도 못 된다. 그럼에도 좋아해주는 이가 있다는 것은 행복이다.

부정적으로 작용할 때의 리딩

처음 시작은 좋아하는 마음에서 출발했으나 시간이 지나면서 고백할 기회도 없거니와 상대방과는 이루어질만한 계기같은 것도 없다. 좋게 말하면 짝사랑이지만 심화되면 스토커의 기질이 발휘된다. 두 사람 사이에 미래가 보이지 않으므로 좌절감이 느껴질 수도 있다. 당신은 상대방을 훔쳐보거나 미련을 떨쳐버리지 못한다. 혹은 누군가가 당신에게 그러한 마음을 품고 있다. 이 사실을 알아채는 것만으로도 상당히 부담스럽고 스트레스를 받을 수 있다. 첫사랑으로 짝사랑을 겪은 사람들에겐 좋은 추억으로 남아 있기도 하지만 거기에서 헤어나오지 못하고 평생을 가는 사람도 있다.

이 카드를 솔루션으로 활용할 때의 리딩

사람의 마음은 복잡미묘해서 하지 말라고 하면 더 하고 싶다. 짝사랑은 이루어지지 않는 비밀스러운 감정이기에 더 상대방에게 집착한다. 이 카드는 상대방의 마음을 얻어낼 수 있다는 솔루션을 제공해 주는 것이 아니라 그 반대이다. 어딘가에 마음을 빼앗겨서 열정을 다 소모해버리고 있지나 않은가 자신을 돌아볼 일이다. 그것은 사람에 국한되지 않고 다른 대상일 수도 있다. 자신이 매혹될만한 사건이나 일이 될 수도 있다. 게다가 이것은 실체화해서 밖에 드러내보일 수 없는 극히 감정적인 문제에 국한되기에 남의 이해를 바랄 수도 없다.

65. 물동이

65. 물동이

물동이에 물을 담아 놓은 것은 생명의 근원을 상징한다. 그 위에 올라서 있는 무당은 지금 신내림굿이나 진적맞이를 하는 중이다. 지엄한 신들의 명을 받아서 인간 세상에 평화와 복을 주기를 기원하며 무당 자신의 복 또한 빌 수도 있다.

KEYWORD

보다 큰 시각으로 일과 사람을 대해야 한다. 단순한 시선으로 대해서는 해결이 안 된다. 이제는 큰 결정을 내려야 할 때이다. 전체 그림을 그려 놓고 세부사항으로 들어간다. 생각을 행동으로 옮겨야 한다. 머뭇거릴수록 손해를 본다.

긍정적으로 작용할 때의 리딩

당신은 현명하게 난관을 직시해야할 필요가 있다. 당신 자신의 힘으로만 그것을 돌파하기는 어려울지도 모른다. 그럴 때는 자기 자신을 정신적으로 수련하거나 단련하는 것이 좋다. 물동이에 올라서서 영적인 계시를 바라는 마음처럼 집중하고 고민해봐야 하는 것이다. 궁지에 몰리다보면 번득이는 지혜가 솟아날 수도 있다. 최후의 순간은 아직 오지 않았으니 희망을 쉽사리 희망을 버리지 말고 인내를 가지고 기다려봐야 한다. 당신의 가장 큰 적은 자기 자신을 이겨내는 것이다. 그 후에 자기 자신에 대해 진정한 각성이 이루어진다.

부정적으로 작용할 때의 리딩

살다 보면 어디로 가야할지 이정표를 전혀 모른 채 방황하는 일이 생긴다. 분명히 잘 하던 일도 실수를 하게 되고, 믿고 있던 사람들과의 관계도 다 틀어진다. 세상에 혼자 남겨진것 같은 느낌때문에 당신은 많이 힘들 것이다. 이익을 나누는 문제에서부터 인간관계에 이르기까지 얽히고 설킨 문제들이 당신을 옭아매고 있다. 당분간은 속시원한 해답이 없으니 마음가짐을 단단히 해야 한다. 어떤 순간을 계기로 전화위복이 되겠지만 지금 상태는 속단하기 어렵다는 사실을 명심하자.

이 카드를 솔루션으로 활용할 때의 리딩

작두타기 카드와 극히 비슷한 카드이다. 신의 감응을 바라고, 신으로부터 어떤 해답이 내려오기를 바라는 어리석은 인간의 고민에 대한 카드이다. 그러니 자신의 힘으로는 해결이 어려운 어떤 문제에 직면해 있다고 보여진다. 이 카드를 솔루션으로 쓰고자 한다면 당신이 믿는 신념에 대해서 한치의 오차도 없어야 함을 기억하자. 하나의 틈이라도 생긴다면 당신은 물동이에서 자빠지듯이 추락할 것이다. 지금 물동이에 올라서서 있는 사람은 한 사람 뿐이다. 이 문제를 해결할 사람은 당신 자신 뿐이라는 사실이다. 외로운 투쟁이 될 지도 모르지만 힘을 내야한다.

66. 밤길 나그네

66. 밤길 나그네

달이 떠 있는 음산한 밤에 몹시 지친 나그네가 문득 누군가의 집을 발견했다. 문이 열리고 묘령의 여인이 모습을 반쯤 드러내는데 미묘한 느낌이다. 하룻밤 묵어갈 수 있을지 간절한 생각도 있지만 위험한지 어떤지도 알 수 없기 때문에 망설이고 있다.

KEYWORD

누군가가 나에게 아무런 목적도 없이 선의를 베푼다는 의미가 있다. 또한 그 선의가 나중에는 나를 이용하기 위해 사전에 계획된 것임을 알게 되기도 한다. 그러나 지금은 상대가 어떤 목적성이 있는지 알지 못한다. 나의 직감에 의존해야 한다. 선택의 여지가 없는 상태. 나약하게 되었을 때 맞닥뜨린 사건.

긍정적으로 작용할 때의 리딩

오랜 여정 끝에 고단한 몸을 쉴 만한 곳을 찾은 나그네의 심정처럼 당신은 지금 절박하다. 그래서 다가오는 인연들을 딱히 물리치지도 않는다. 오히려 적극적으로 사람을 찾고 있던 중이기도 하다. 그러던 중에 만난 인연들에 대한 카드이다. 상대방과 일로써 만났다면 기다리던 제안을 마침 해오기도 한다. 그렇지만 당신은 절대 모든 것을 오픈해서는 안 된다. 최소한의 것은 자신을 위해서 남겨놓는 지혜를 발휘하자. 아직은 상대방이 어떤 사람인지 확인되지 않았기 때문이다. 정신을 놓지 않는다면 이것저것 둘러볼 기회는 반드시 있을 것이다. 연애도 마찬가지다.

부정적으로 작용할 때의 리딩

지치고 힘겨울 때 손을 내밀어 주는 상대가 있다면 이것저것 가릴 생각 없이 덥석 그 손을 잡을지도 모르겠다. 그 상대가 좋은 사람이며 당신에게 진정 귀인으로 작용해 주는 이라면 둘도 없는 행운이겠지만 반대라면 최악이다. 이제 당신에겐 저항할 힘이 남아있지 않기 때문이다. 도박과도 같은 상황에 처한다. 당신은 한번도 이런 것을 경험해본 적이 없기 때문에 얼만큼 위험한 처지에 있는건지 제대로 파악도 못하고 있다. 거절할 겨를도 없다는 것이 당신의 불행이다. 당신은 누군가가 파놓은 함정에 걸려들어서 스스로의 통제력을 상실하게 된다.

이 카드를 솔루션으로 활용할 때의 리딩

이것은 정신적인 문제에서 비롯된 이유이거나 단순한 외로움 때문에 방황하는 이들에게서도 자주 나오는 카드이다. 여기저기에서 익명의 사람을 만나려고 잘못 교제하거나 해서 큰 위험에 휘말릴 가능성이 보인다. 그러니 이 카드를 솔루션으로 하고자 한다면 당분간은 혼자 조용히 생활하도록 자신의 지침을 정해놓는 게 좋겠다. 새로 알게 된 사람들과의 교류나 새롭게 제안받은 일거리에 대해서도 쉽사리 승낙하지 않고 결정을 뒤로 미루는 게 낫다. 지금은 판단력이 흐려지고 있는 시기이니 자기 자신의 시야를 믿지 않는 게 현명하다.

67. 꿩사냥

67. 꿩사냥

사냥꾼의 화살에 맞은 꿩이 떨어져 있다. 젊은 사냥꾼의 단호한 눈빛에서 자신감이 느껴지긴 하지만 죽은 꿩의 입장에서는 좋을 것이 없다. 예전에는 식재료를 위해 꿩을 잡기도 했지만 자신의 능력과 활기를 과시하기 위해 사냥을 하기도 했다.

KEYWORD

사건이 일단락됨. 서로의 입장이 팽팽하고 극단적일 수 있다. 살생이 이루어졌으니 내가 갚아 주어야 할 것이 있다고 봐야 한다. 서로의 입장이 정반대인 경우가 된다. 양쪽 이야기를 다 들어봐야 한다.

긍정적으로 작용할 때의 리딩

목표물이 있었다면 명중시킨다. 오랜 기간 공들인 일이 있다면 이번에야말로 달성해낼 수 있고 결과물을 눈앞에서 확인할 수 있는 것이다. 수많은 활시위를 당겼던 경험으로 이제는 적중률이 높아졌다. 그러니 자신이 하는 일에서도 전문가 소리를 듣는다. 기량이 출중하게 늘어나서 맡은 바 임무를 충실하게 해낸다. 윗사람으로부터 인정받고 업무 실적에 대해서도 좋은 평가를 받는다. 특히 당신은 운동신경이 매우 발달한 사람이거나 활동적인 분야에서 더 월등한 실력을 발휘한다. 또 남들이 꺼리는 일에도 앞장서게 되는 편이다.

부정적으로 작용할 때의 리딩

꿩의 입장이 된다면 이 카드는 좀 불행한 카드가 된다. 자유롭게 하늘을 날던 꿈이 사라진 꿩은 자신이 알지도 못하는 사람때문에 지상으로 추락했다. 당신은 아마도 우연한 사고를 만나서 큰 난관을 겪을지도 모른다. 그것은 대비할 수 있는 종류의 위험이 아니다. 전혀 모르는 사람이 당신을 향한 중상모략이나 악플을 하는 바람에 한동안 실의에 빠질 수도 있다. 익명의 사람으로부터 화살을 맞은 꼴이다. 물론 당신이 그 원인제공자일 수도 있다. 이유가 어찌 되었건 남을 공격하는 것은 좋지 않으며 언젠가 그 값을 치러야 할 것이다.

이 카드를 솔루션으로 활용할 때의 리딩

사냥꾼 카드와 마찬가지로 한 쪽은 사냥하는 입장, 하나는 꿩의 입장이다. 어느 한 쪽은 목표를 달성했다는 환희를 느끼지만 어느 한 쪽은 최악이다. 그래서 이 카드는 리딩에 신중을 기해야 한다. 솔루션도 마찬가지다. 목표를 달성하기 위해서 수단과 방법을 가리지 않는 비정한 현실이지만 어느 정도의 타당성이 있어야 한다. 자신의 직업이라든가 가족을 먹여살리기 위해서 행하는 일이라든가 하는 부분에서이다. 어쩔수 없이 행하는 일이라고 하더라도 한번 더 그것에 대해 생각하게 하는 카드이다.

68. 업적

68. 업적

왕에게서 공을 인정받고 문서 등을 하사받는 신하의 모습이다. 윗사람 아랫사람 모두에게 유익하고 기쁜 순간이다. 명예로운 문서와 하사품을 받게 된다.

KEYWORD

공적인 일을 진행하는 것이 이롭다. 개인의 역량도 중요하지만 단체에서 인정받는 것이 더 중요하고 또 길한 운세이다. 부동산, 직함을 얻게 되며 선거나 경합에서 이긴다. 라이벌을 물리친다.

긍정적으로 작용할 때의 리딩

성공이나 승진, 도약을 위해서 어떤 기회가 주어졌다. 남들 앞에서 당신의 능력을 증명할 수 있는 절호의 찬스이며 윗사람으로부터 인정도 받는다. 이미 어느 정도는 그런 분위기가 형성되어 있기 때문에 더 좋은 업무를 배정받는 것일 수도 있다. 카드의 이름이 업적이라고 하는 것은 단기적이고 단순한 일이 아니다. 원대한 목표와 이상을 실현한다는 의미이다. 더불어 여러 사람에게 이익이 되는 스케일이 큰 업무이므로 공적인 일이라고도 볼 수 있다. 만일 개인 사업을 하고 있는 중이라면 국가에서 어떤 허가를 받아서 일을 진행하는데 유리하다.

부정적으로 작용할 때의 리딩

명령을 받았으니 막중한 책임감이 느껴진다. 공적인 일을 상징하고 책임자가 된다는 의미이므로 당분간은 사적인 생활을 누리는 것이 금지된다. 이 카드는 장기적인 계획을 상징하기도 하므로 어느 정도의 스트레스는 짐작하고 있어야 한다. 일이 완료되기 전까지는 마음 놓고 쉬기도 어렵다. 여러 사람의 눈이 당신에게 쏠려 있다. 행동거지를 조심해야 함은 물론이고 일거수 일투족을 보고해야 할지도 모른다. 당신이 이 업적을 감당하지 못하거나 압박을 이겨내기 힘든 사람이라면 매우 실망스런 결과가 나올지도 모른다.

이 카드를 솔루션으로 활용할 때의 리딩

살아가면서 크고 작은 인생 목표가 있지만 대다수의 사람들은 달성하지도 못할 꿈을 지닌 채 그대로 시들어가기 마련이기 때문이다. 기회와 능력의 문제인 것이다. 두 개 중의 어느 하나가 모자라도 대성하기 어렵다. 이 카드는 그러한 부분에서 대단한 에너지와 집중력을 불어넣어주는 카드이다. 자신이 갈고 닦은 실력이 있다면 좋은 기회를 잡아야 한다. 아무리 좋은 기회가 온다고 하더라도 빈껍데기에 불과한 능력밖에 갖추지 못했다면 곧 탄로나게 된다. 이 카드는 명예와 성공을 상징하므로 포부가 큰 사람에게는 선물과도 같은 기회를 상징한다.

69. 할머니

주택 안 여자들의 구역인 안채에서 전통적으로 가장 웃어른으로 모셔지는 분이다. 집안의 오랜 조상 중에서 후손들을 돌보고 화를 피하게 해주시는 역할을 한다. 자손을 점지하고 보살피며 건강하게 살아갈 수 있게 하며, 특히 재물을 불리는 분이다.

KEYWORD

부드러움 속에 강인함이 있다. 평범함 속에 심오함이 있다. 매우 지혜로운 여성을 상징. 그다지 큰 이익도 없이 나대는 것보다 조용하게 일이 처리되지만 알찬 소득이 기다린다. 현명한 처세를 기대할 수 있다. 상대가 이 카드가 나오면 만만한 사람이 아니다.

긍정적으로 작용할 때의 리딩

모든 중요한 결정은 집안의 여성, 할머니가 내리게 된다. 그리고 그 결정은 합리적이고 옳은 것이 므로 가족 모두가 따르게 되면 행운이 깃든다. 할머니는 특유의 인자한 분위기와 풍부한 인생경 험으로 집안을 잘 돌보는 분이다. 그러니 당신이 여성이라면 이런 역할을 맡아서 해야할 시기라 고 읽어도 될 것이다. 굳이 나이가 든 사람에게만 해당되는 이야기는 아니다. 작은 가게를 운영하 면서 몇 명 안되는 직원을 거느리고 있을 때도 마찬가지다. 뭔가 뒤로 한 발 물러나 있으면서도 훌륭하게 지도하고 통솔할 수 있다. 할머니는 전면에 나서지 않아도 충분한 실력을 이미 발휘한 다.

부정적으로 작용할 때의 리딩

예전 조선 시대에는 고방의 열쇠를 할머니에게서 며느리에게 물려주는 의식이 있었다. 가정내의 모든 것을 모아놓고 관리하는 창고의 열쇠니까 아마도 경제권이 아니었나 싶다. 이 카드가 부정 적으로 리딩이 될 때는 여성의 권한이 너무 강하거나 집안 내에서 고집 센 할머니 같은 여성이 있 어서 갑갑할 때이다. 젊은이들이 하고 싶은 일이 생기거나 변화를 주고 싶을 때 이 여성은 그것을 허락하지 않는다. 당신이 마치 할머니같은 태도로 가족의 결정권을 틀어쥐고 있는 것은 아닌지 돌아봐야 한다. 아니면 당신이 상대를 그렇게 느끼고 있는지도 모른다.

이 카드를 솔루션으로 활용할 때의 리딩

현대인들에게 고향이라는 것은 많이 퇴색되어버렸지만 그래도 아직까지 고향집이라고 하면 떠 오르는 것은 인자한 할머니의 모습이다. 빈 집으로 가는 것이 아니라 푸근한 할머니에게로 가는 마음인 것이다. 그래서 이 카드는 아무리 지치고 힘들더라도 돌아가서 쉴 곳이 있다는 상징이며 특히나 나이 많은 할머니, 윗어른이 계심으로 해서 인생의 조언을 듣고 마음을 위로받는다는 뜻 이 있다. 또한 현대는 그에 걸맞는 윗어른으로서의 새로운 배움이 생겨나고 있다. 고루한 노인네 가 아니라 좀 더 소통이 가능한 진정한 집안의 어른의 역할을 의미하는 것이다.

70. 할아버지

70. 할아버지

집안의 맨 웃어른이기도 하고 신령에서는 대감으로 모셔지기도 하는 분이다. 조상 중에서 살아생전에 많은 업적을 쌓은 분으로 후손들에게 복을 주시는 어른이다. 점잖으시며 고지식한 일면도 함께 갖고 있다.

KEYWORD

현실적인 일들에 대해 대응을 할 때 나쁘지 않다. 실속 있는 판단을 할 수가 있다. 때로는 명예와 체면을 생각해서 모른척 한다든가 작은 이익을 포기해야 할 때도 있다. 결과적으로는 나쁘지 않으며 손해 볼 일은 없다. 자기주장을 굽히지 않는 남성을 상징.

긍정적으로 작용할 때의 리딩

가정의 중심은 남자가 될 수도 여자가 될 수도 있지만 이 카드는 남성 중심을 이야기해준다. 가족의 결정권에 대한 것을 나이든 남자 어른이 행하고 있다. 그것에 대해서 다른 식구들은 따라가는게 옳다. 당신 자신이 이런 역할을 해야하는 것임을 알려주기도 하고 또는 집안 내에서 이런 역할을 하는 윗어른을 찾아가서 상의하라는 것으로 알아도 좋다. 어느 쪽이든간에 현명한 결론을 내리는데는 도움이 될 것이다. 또한 이 카드는 집안의 내력이나 전통, 관습에 대한 것을 상징하고 있기 때문에 개인적으로 결정할 문제가 아니라 가족 모두의 의견을 모은다는 뜻도 있다.

부정적으로 작용할 때의 리딩

시대가 빠르게 변화하고 있지만 그에 따라주지 않는다면 낙오된다. 전통을 지키는 것도 중요하지만 새로운 시대의 흐름을 반영해야지 고인물처럼 썩지 않는다. 전통이라는 것도 조금씩 물갈이를 해주는 것이 매번 신선함을 주는 요소인지도 모른다. 당신에게 이 카드가 부정적인 의미로 작용한다면 아마도 고집을 피우면서 새로운 변화를 받아들이지 않으려는 고집센 사람이란 뜻이다. 그러니 자신의 방식만 고수하고자 하면서 다른 이들의 의견을 묵살하고 있는 것은 아닌가 반성해보자. 집안의 가장이건 조직의 리더이건 마찬가지다. 자리만 차지하고 앉아있다고 존경받는 시대는 지났다.

이 카드를 솔루션으로 활용할 때의 리딩

현대는 나이든 노인을 존중하지 않는 시대로 접어들고 있다. 젊은이들과 노인의 경계를 나누는 듯한 이야깃거리가 많이 만들어진 탓도 있다. 그러나 모든 젊은이들은 결국 노인이 된다. 어쩔 수 없는 자연의 진리다. 젊었을 때 자신만큼은 영원히 늙지 않을줄 알고 날뛰는 철없는 이들이 있다. 이 카드의 솔루션은 단순하다. 현명해지라는 것이다. 집안의 어른을 존중하지 않으면서 자신의 자식들에게만 정성을 쏟은들 자신이 늙어지면 역시 같은 대접을 받을 것이다. 또한 나이만 먹는다고 어른이 되는 것도 아니다. 그에 맞는 생각과 태도가 뒷받침되어야 할 것이다. 진정한 어른으로 거듭나야한다.

71. 무당

71. 무당

방울과 부채를 손에 들고 신령님과 소통하고 있는 한국의 무당. 예전에는 마을마다 한 사람의 무당이 있어서 사람들의 답답함을 풀어주고 공동체의 기도를 행하여주며 갖은 애환을 함께하였다.

KEYWORD

공식적이지 않은 일이며 은밀하게 진행되는 것이 좋다. 사람의 힘으로 해결되지 않는 신비한 원인이 있을 수 있으니 조언자를 찾아야 한다. 중간자의 역할, 브로커, 양쪽의 입장을 동시에 해결해 줄만한 능력자가 필요하다.

긍정적으로 작용할 때의 리딩

굿을 하고 있는 무당의 모습이다. 미신을 믿는다고 치부하기 보다 아직 결정되지 않은 사항에 대해 신중함을 기하라고 리딩하면 좋다. 사람은 완벽한 존재가 아니다. 그리고 제반 사항을 모두 모아서 아무리 좋은 결론을 내린다고 하더라도 환경적인 부분에서 변화가 생기다보면 모든 게 달라질 수 있는게 삶이다. 그러니 이 카드는 아주 작은 희망과 가능성이라도 찾기 위해서 최대한의 노력을 기울인다고 읽을 수 있다. 혹여 당신 자신이 중대한 것을 놓치거나 빠트린 게 있다면 그것을 찾도록 지적해주는 카드이기도 하다. 한번 더 경각심을 가지고 주변을 확인해본다면 쉽게 그것을 발견할 것이다.

부정적으로 작용할 때의 리딩

스스로 해놓은 것이 아무 것도 없는 가운데 신들에게 기도만 드린다고 해결될 일은 없다. 주술이라든가 비방같은 것도 마찬가지다. 누군가 우연히 성공하고 부자가 되고 결혼하는 것 같이 보여도 그것은 타인의 시선일 뿐이다. 그 사람들은 치열하게 그것을 얻은 것이다. 당신은 스스로 아무런 노력도 하지 않은채 우연을 가장한 행운에 기대어 살아가고 있는 것이 아닌가 돌아봐야 한다. 물을 구하려면 샘을 파야한다. 최소한의 노력과 희생도 하지 않은채 영적인 존재들에게 매달린다고 해결될 것은 없다. 땀과 눈물이 있어야 신도 감응한다. 굿이라고 하는 것도 마찬가지다.

이 카드를 솔루션으로 활용할 때의 리딩

영적인 가호를 바라면서 굿을 진행하는 무당의 모습은 긍정도 부정도 아니다. 신의 공수를 청하고 있기 때문에 아직은 아무것도 판결이 난게 없다. 이 카드는 만신의 상징이긴 하지만 모든 것을 신에게 의탁하라는 의미로 읽을 필요는 없다. 오히려 자신의 모든 노력과 더불어 영적인 응원을 바라는 것으로 읽는게 좋다. 어디에서부터 응원해주는 힘이 오고 있는가? 그것은 자신의 조상일 수도 있고, 자신이 평소 믿는 종교일 수도 있고, 아니면 멘토나 후원자일 수도 있을 것이니 사람마다 다양할 것이다. 혼신의 노력은 영검한 해답을 얻을 수 있다.

72. 모내기

72. 모내기

힘겹지만 희망을 갖고 열심히 모를 심는 농부들. 얼굴에는 올해의 풍년을 꿈꾸며 미소가 떠나지 않는다. 농사가 삶의 근본이자 전부였던 시절에 이보다 더 중요한 행사는 없었다.

KEYWORD

시작은 고되지만 결과가 기다리고 있기에 멈출 수가 없다. 금방 확인할 수 있는 것은 아니지만 나 자신을 믿는 것이 가장 중요하다. 뿌린 대로 거둔다. 시작점, 알아가는 단계. 나름의 계획이 있다.

긍정적으로 작용할 때의 리딩

새로운 일을 시작했으니 활력에 넘친다. 비록 몸은 고단하지만 내일을 향한 꿈이 있으니 즐겁기만 하다. 작은 묘목이지만 나중에 큰 벼로 자라나서 가을에 풍년을 기대할 수 있는 것이다. 지금당장은 큰 돈이 되지 않는 사업이라고 하더라도 가능성은 충분하며 장차 번창해 간다는 의미로 읽어볼 수 있다. 무엇인가를 시작할 수 있는 사람은 행복하다. 아무런 할 일 없이 빈둥거리는 사람에겐 희망도 보이지 않는다. 남에겐 보잘것 없어보이더라도 자신만의 작은 가게를 오픈하거나 전직을 해서 새로운 일자리를 찾았다면 꿈과 미래가 보장된다.

부정적으로 작용할 때의 리딩

당장 큰 돈을 바라거나 도달해야할 목표가 있다면 그것은 빨리 성취되지 않는다. 모내기는 일을 겨우 시작했다는 의미일뿐 수확을 한다고 보기는 어렵다. 그러니 우물가에서 숭늉을 찾는다는 말처럼 성급하게 굴어보아도 얻는 수익은 없다. 괜히 성미 급한 사람이라는 소리만 듣게 될 뿐이다. 아무리 목표가 아무리 거창해도 출발은 첫걸음부터 해야한다. 이제 겨우 걸음마를 하는 상태이므로 그 속도에 맞추는 것이 필요하다. 돈을 투자해야 하는 상황이라면 이익을 얻기 위해선 장기적으로 생각해야 한다. 자격증을 취득하거나 하는 것도 마찬가지다.

이 카드를 솔루션으로 활용할 때의 리딩

새 봄이 돌아와 희망을 품는 것 만큼 좋은 일은 없다. 학교에 입학하는 학생, 새 직장으로 첫출근을 하는 신입 사원, 이제 개업을 시작한 가게의 주인 등등 모두에게 힘과 생기를 실어주는 카드이다. 사람은 돈이 없어져서 죽는게 아니라 희망이 사라져서 죽는다는 말이 있다. 그만큼 꿈과 소망은 사람을 살아가게 하는 원동력이다. 그 누군가는 그것을 헛된 착각이라고 할지 모르지만 당사자에겐 매우 중요한 문제이다. 이 카드를 솔루션으로 사용하고자 한다면 긍정적이고 미래지향적인 기운을 불어넣어줄 것이다.

73. 마패

73. 마패

왕명을 친히 받아서 비밀리에 임무를 수행하는 암행어사의 표식. 복색을 바꾸고 신분을 드러내지 않아서 부패한 관리들은 전혀 알 수가 없었다고 한다. 왕의 권력을 강화하고 서민들의 삶을 돌보는 이중 목적을 달성하였다.

KEYWORD

공식적인 문서, 그와 관련된 일이다. 질질 끌던 사건이 종결된다. 고위직의 업무가 더 잘 어울린다. 평범한 일은 지지부진 할 수도 있다. 증거로써 사건을 처리해야 할 수도 있다. 인정에 호소해서는 답이 없다. 관련된 사람은 위에서부터 아래까지 폭이 넓다. 다수가 연관이 있다. 관재를 상징하지만 그것만은 아니며 부동산 문서에 해당될 수도 있다.

긍정적으로 작용할 때의 리딩

금전적인 부분을 상징하는 마패는 강력한 이동수단을 나타내기도 한다. 돈이 된다고 볼 수도 있고 어떤 공적인 자격이 주어진다고도 해석한다. 옛날에는 말이 없으면 먼 길을 가기 힘들었다. 현대에도 옮기려면 많은 자금과 물자가 필요하다. 게다가 이동운이 없으면 안 된다. 그래서 이 카드는 옮겨도 좋을 시기라는 상징이고 자신이 움직이고자 한다면 언제든지 움직일 수 있다는 청신호로 볼 수 있다. 오히려 가만히 있는 것이 낭비일 수 있다. 아무리 수동적인 사람이라고 하더라도 이 카드가 나온다면 적극적으로 실행에 옮겨보도록 하자.

부정적으로 작용할 때의 리딩

강력한 명령 체계를 나타내므로 사적인 활동에는 부적합하다. 개인의 자유가 제한되므로 간단하게 생각하면 안 된다. 당신 자신이 공적인 임무에 적당한가를 다시 생각해보는게 좋다. 어딘가에 매여서 일하는 것을 참지 못한다거나 한동안 어떤 계획을 진행하기 위해서 정해진 코스대로 일을 해야 하는 것이 갑갑하다면 곤란하다. 마패가 이동수를 나타내므로 자유롭다고 생각해선 안 된다. 말도 다니는 길이 따로 있다. 게다가 말이 옆눈을 보지 못하게 하기 위해 가리개를 씌우는 경우를 생각해보라. 빠르게 이동할 수는 있지만 결코 노선을 벗어날 수는 없다.

이 카드를 솔루션으로 활용할 때의 리딩

마패는 과거에 말을 갈아탈 수 있는 곳에서 자격을 나타내는 것이었으며 현대의 교통카드와 비슷하다고 보면 된다. 그것은 관공서에서 허가받은 것으로 사용해야 했으며 엄격한 약속 체계를 상징한다. 이 카드를 솔루션으로 쓸 때는 절차에 따라서 일이 일사천리로 진행될 때 아주 이롭다는 것을 알아두자. 만일 아무런 계획이나 법칙도 없다면 되려 중구난방이 될지도 모른다. 물론 말과 그것을 다루는 역참에서는 충분한 체계를 갖추고 있을 것이다. 그러므로 성숙한 조직안에 들어가서 일을 하는 것이 이롭고 더 많은 성과를 낼 수 있을 것이다. 혼자 처음 개척하는 일보다는 훨씬 좋을 것이다.

74. 엽전 1

74. 엽전 1

비를 피할 곳을 찾지 못해 그대로 맞고 있는 어떤 사람. 춥고 괴로움이 느껴진다. 땅의 상태를 보면 오랜 가뭄 끝에 내리는 비 같이 보이기도 한다. 대자연의 입장에서는 자연스러운 이치이지만 이 사람에게는 인내를 요하는 힘든 시간이다.

KEYWORD

미래를 위해서 지금은 참고 견디어야만 한다. 그렇다고 영원하진 않으니 절망할 것은 없다. 원대한 야망을 가진 사람에게는 당연한 시련일 수도 있다. 집을 짓기 위해 기초공사를 한다고 생각하면 이 시기는 매우 중요하며, 타인의 눈에는 쓸데없는 고생을 한다고 여겨질 수도 있지만 본인의 인생에서는 필수불가결한 경험.

긍정적으로 작용할 때의 리딩

고단한 여행길에서 갑자기 비를 만난 형국이다. 지금은 여건이 좋지 못하지만 장기적인 운은 아니므로 스스로를 다독여야 한다. 곧 비가 그치고 맑아질 것이다. 외부적인 조건이 맞지 않아서 쉬어갈 수밖에 없는 운이라면 차라리 쉬는게 좋다. 딱히 마음 편한 휴식은 아닐지라도 자신을 돌아보고 재충전할 기회를 모색한다. 분주한 일상에서 벗어나서 고독함을 느끼는 것이 딱히 나쁘지만은 않다. 사람이 성숙해지는 여러가지 조건중에는 외로움과 싸워야 하는 것이 반드시 존재한다. 모든 성공의 이면에는 이와 같은 고난이 숨어있다. 즉 성공을 위한 첫걸음인 셈이다.

부정적으로 작용할 때의 리딩

지금 당장 해결할 수 있는 일이 아니므로 후퇴하게 된다. 당신이 해왔던 활동이나 계획은 전면 수정을 해야할 수도 있다. 당신이 아무리 노력하더라도 주어진 환경이 그것을 받쳐주지 못하거나 훼방만 놓고 있으므로 좌절하게 된다. 특히 이 카드는 귀인을 만나기 어렵다는 점도 암시하고 있기 때문에 이러한 시기에는 가족도 도움이 안 된다. 자신의 심정을 헤아려 줄 사람은 아무도 없다고 봐야한다. 어려움은 한꺼번에 몰려들 때가 많다. 경제적으로 힘이 들 때엔 사람들도 멀어져간다. 지금 당신은 철저히 혼자가 될지도 모른다. 그것을 이겨내는 것이 관건이다.

이 카드를 솔루션으로 활용할 때의 리딩

이 카드는 독립을 하려는 사람을 상징한다. 편안하고 안락한 곳을 떠나와서 험난한 여행길에 올랐다. 비를 피할 곳마저 없어서 그대로 추위를 견디고 서있는 모습은 처해진 상황을 상상하게 한다. 그를 도와줄 상황은 없는 상태에서 자기 자신의 마음을 굳세게 믿으며 견디어내고 있는 것이다 이 카드를 솔루션으로 활용한다면 고난을 통해서 강하게 성장하는 자신을 그려볼 수 있을 것이다. 하늘은 스스로 돕는 자를 도우며 모든 위대한 일의 시작에는 곤경이 함께한다. 무난하고 편안한 길이라면 그것은 성공을 향한 여정이 아닐 것이다.

75. 엽전 2

집을 짓기 위해 기왓장을 맞들고 있는 두 사람. 혼자일 때보다 위로가 되고 좀 더 수월하게 일이 진행되고 있음을 말해준다. 그 결과가 어떨지 아직은 알 수 없으나 성실하게 일하고 있는 모습들이다.

KEYWORD

외로웠던 마음을 이해해 줄 동반자나 지인을 만나게 되어 위로를 받게 된다. 일이 일취월장으로 잘 되어가지 않더라도 지금의 상황은 매우 희망적이다. 당장 이득이 나오진 않았지만 이대로 가면 좋은 결실이 있을 것 같은 예감이 든다.

긍정적으로 작용할 때의 리딩

자신의 마음을 알아주는 이를 만났으니 무척 좋은 일이다. 지금 당장 경제적으로 부유해지지 않더라도 미래를 위해서 무척 희망적이다. 혼자서 이루어 가는 일보다 협력해서 동지를 만나는 것이 훨씬 효율적이다. 이 카드는 두 사람 이상의 의견과 힘을 모아서 차근차근 전진하는 출발이다. 아직 큰 집은 지어지지 않았고 겨우 기왓장 몇 개 옮길 뿐이지만 꿈이 생겼다. 어렵게 살아가고 있을 때는 작은 위로와 손길도 큰 도움이 된다. 가족 간에 의견을 모아야 할 때 이 카드가 나온다면 충분히 화합할 수 있어서 즐겁다. 타인간의 거래나 영업에서도 좋은 결과가 있다.

부정적으로 작용할 때의 리딩

큰 꿈을 갖고 있는 사람에게는 조금 실망스러운 카드이다. 빨리 이루어지지도 않거니와 뭉칫돈이 될 것 같지 않아보이기 때문이다. 옆에서 거들어주는 사람들이 있지만 그들의 실력도 자신과 비등비등해서 더 나아보이지 않는다. 한 마디로 말해서 진전 없는 시간만 흘러간다고 느낀다. 기대를 많이 하고 누군가와 협력하고 있다면 곧 실망할 일이 생긴다. 당신이 조바심을 내며 일이 제대로 될 리 없다고 판단하기 때문이다. 이 카드는 시간적인 여유와 인내심이 필요한 카드이다. 개미처럼 조금씩 이루어 간다는 의미가 있기에 성미가 급한 사람들에겐 따분할 뿐이다.

이 카드를 솔루션으로 활용할 때의 리딩

기초 공사가 탄탄히 된 집은 걱정이 없다. 남들의 눈에 거창하게 보이는 실적은 없을지라도 내부적으로 견고하게 하나씩 추진하고 있다. 느린 걸음이지만 확실한 결과를 보장한다. 이럴 때 남들의 시선은 신경쓸 필요가 없다. 세간의 평판을 신경쓸 시간에 하나라도 더 일을 해두는 것이 좋을 것이다. 게다가 당신을 지지해주는 사람들이 곁에 있다. 이 카드는 성실한 사업 파트너를 만났거나 믿을 만한 직원을 구했을 때도 종종 나온다. 자신의 분수를 알고 작은 것에서부터 감사하는 마음은 미래의 성공을 보장한다.

76. 엽전 3

76. 엽전 3

잘 차려입은 남자 둘이서 비밀을 공유하는 듯 귓속말을 하며 즐거운 표정이다. 건너 마을의 여자가 이쁘다는 정보를 전해 주는 것 같기도 하다. 발 아래 꽃들이 피어있어 처지가 여유로움을 알 수 있고 이들의 시선이 저 멀리를 향하고 있으니 곧 일어날 일에 대한 기대감을 느낄 수 있다.

KEYWORD

구설수, 남에게 말을 전달함에 있어 신중해야 할 것이다. 또는 내 소문이 모르는 사이에 남들에게 알려지고 있는 중이다. 이해관계에 얽힌 일일 수도 있고 단순한 남녀 간의 일일 수도 있 다. 자신은 심각하지 않다고 여기며 한 행동이 어떤 결과를 불러올지 전혀 알지 못한다.

긍정적으로 작용할 때의 리딩

누군가 당신에게 좋은 정보를 전달해준다. 그것은 직접적으로 이익을 가져다 주는 것일 수도 있고 시시콜콜한 라이벌의 사생활에 대한 것일 수도 있다. 자신과 경쟁하고 있는 상대방의 허물을 들추어내고 약점을 잡을 기회도 된다. 하지만 섣불리 활용해서는 곤란하다. 소문은 소문일 따름이며 그것이 사실이라고 증명된 건 아직 없기 때문이다. 아무리 대단한 정보같이 보여도 그것이 정말 필요하게 되었을 때 취사 선택하는 지혜가 필요하다. 말을 옮기기는 쉬워도 말을 지키기는 더 어렵다.

부정적으로 작용할 때의 리딩

발 없는 말이 천리를 간다. 당신에 대한 소문을 남들이 즐겨 말하고 있는지도 모른다. 가장 가까운 사람의 폭로로 해서 곤경에 처할 수도 있다. 사람은 사회적인 동물인 만큼 타인의 시선이나 평판에서 자유롭지 못한건 사실이다. 당신에 대한 이야기는 어느새 널리 퍼져서 주변 사람들이 모두 다 알고 있을지도 모른다. 눈에 드러나지 않는 일을 수습하기가 더 힘든 법이다. 당신은 조금 더 주변의 사람들에게 입단속을 시켜야 할지도 모른다. 지금 당신의 옆에서 정보를 알려주고 있는 사람은 당신의 말도 남에게 옮길 인물이다.

이 카드를 솔루션으로 활용할 때의 리딩

소문과 사실은 같기도 하고 다르기도 하다. 지금은 정보의 홍수 시대이고 전쟁도 서로의 정보를 먼저 손에 넣는 쪽이 이길만큼 매체가 발달해있다. 그러나 그 반면에 자신의 생각을 정리하고 주관을 뚜렷이 하는 것은 더 어렵게 되어버렸다. 남이 어떻게 지내는지 궁금해하고 수근거리고 있을 시간에 자신의 생활을 더 충실히 하는 것이 어려워진 것이다. 세상이 돌아가는 이치를 너무 모르고 관심없이 사는 것도 곤란한 일이지만 자신과 관련이 없는것 까지 알고자 하는 것도 어리석다. 이 카드는 자신의 판단과 생각을 잘 정리하라는 경고로 받아들이면 좋을 것이다. 남의 소문 따위는 당신의 삶을 바꾸는데 아무런 도움도 되지 않는다.

77. 엽전 4

77. 엽전 4

풍류를 상징하는 모습들이다. 기생들을 불러서 놀고 있는, 선비들의 한가로 운유희. 그러나 형편이 어려운 사람들이 볼 때는 부럽기도 하고, 철없이 보이기도 하는 장면이며 때에 따라서는 분노를 불러일으킬 수도 있겠다.

KEYWORD

유흥과 관련된 일이다. 성실하게 생활하던 사람이 갑자기 주변의 사람들에게 휘말려 어떤 화려한 자리에 안내되기도 하고, 자신도 모르게 거기에 휩쓸릴 수가 있다. 한동안은 이러한 시간 속에서 정신차리지 못하고 지내다가 바람이 멎은 후에야 제정신으로 돌아올 수 있다. 여기에 관련되었던 사람들은 언제 그랬냐는 듯이 안면을 몰수할 수도 있다.

긍정적으로 작용할 때의 리딩

격식과 규제를 벗어나서 제멋대로 살고 싶은게 사람의 본능이다. 이 카드는 잠깐의 일탈이나 유희에 대해서 관대한 시각을 보여준다. 아무리 완벽한 사람이라고 하더라도 숨구멍은 있어야 하는법이다. 빡빡한 스케줄 속에 기계같이 일만 하고 사는 사람에게도 휴식이 필요하다. 지나치면 곤란하겠지만 자신의 주제에 걸맞는 유희는 남이 뭐라고 할 게 못된다. 남들이 눈치채지 못할만큼 여유를 부리며 놀다가도 빨리 제자리로 돌아오는게 낫다. 당신은 눈치가 꽤나 빠른 사람이어서 들키지 않고 재미를 보러 다닐 사람이긴 하지만 그게 길어지면 주변에서 슬슬 지탄을 받게 될지도 모른다.

부정적으로 작용할 때의 리딩

놀기 좋아하는 친구들과 어울리다보면 본분을 잊기 쉽다. 그러나 이러한 시기가 되면 고지식하게 살아가기만은 어렵고 유혹에 많이 노출되어서 자기도 모르게 휩쓸려 가기 일쑤다. 공부에 집중한다거나 성실하게 일하던 사람도 이럴 때는 분별 없이 놀러다니고 가산을 탕진하곤 한다. 심하면 빚을 지거나 도박같은 것에 손을 대기도 한다. 자제력을 잃고 있다는 경고이지만 당사자는 즐거운 날을 보내고 있다고 착각하고 남의 조언도 귀찮게 여길 것이다. 그러나 이런 나날이 언제까지 갈 것 같은가. 나쁜 일에도 끝이 있듯이 달콤한 시간은 더 빨리 끝나버릴 것이다.

이 카드를 솔루션으로 활용할 때의 리딩

사람들이 저마다의 욕망대로 충실할 뿐이라면 이 세상은 벌써 망했을 것이다. 하지만 다들 그것을 억제하고 살아가기에 세상이 그나마 돌아가고 있는지도 모른다. 그러니 잠깐의 여유나 일탈은 어느 정도 봐줄 만하지만 그것이 너무 길어지거나 주변인들에게 폐를 끼칠 정도가 된다면 매우 곤란하다. 이 카드가 나온다고 흥청망청 즐거운 시간을 보내도 된다고 생각하면 안 된다. 지금까지 너무 일만 해왔으니 조금은 놀아도 되지 않느냐고 반문할지 모르지만 그런 안이한 생각으로는 인생을 살아가기 어렵다. 언제나 철부지처럼 놀러다니고 책임감을 벗어날 궁리만 하겠는가. 나이가 들었다면 나잇값을 해야한다.

78. 엽전 5

천하를 손에 쥔 왕과 그 앞에서 머리를 조아리고 있는 신하들. 왕은 이미 모든 것을 장악했고 자신의 권력에 대한 확신에 찬 눈빛으로 정면을 응시하고 있다. 신하들은 이에 복종하고 있다.

KEYWORD

약간 욕심을 부릴 만한 일이 생긴다. 또는 그런 사람과 엮이게 되거나 거래를 해야 한다. 기가 센 사람을 만나서 질질 끌려가는 상황이 된다. 아무리 이겨보려 하지만 잘 안 된다. 반면에 내가 이러한 사람으로 남에게 보여지는 것일 수도 있다. 양보란 없다.

긍정적으로 작용할 때의 리딩

공무를 보거나 윗 사람으로부터 임무를 받을 때 매우 좋은 카드이다. 혹은 자신이 그 임명권자가 되기도 한다. 높은 지위에 오를 수도 있으니 승진이라든가 시험 합격 등 신분 상승이 기대된다. 이 카드는 책임감도 함께 요구되는 카드로써 자신의 행동에 책임을 지고 그에 걸맞는 태도를 보여야 한다. 그렇다면 일은 순조롭게 흘러갈 것이다. 그동안 계획했던 일들을 이제 진행해도 되는 순간이 왔다. 그리고 자기 자신을 지나치게 겸손하게 낮추는 것은 도움이 되지 않으니 적절한 위엄을 갖추고 일을 해나가는 것이 효과적이다.

부정적으로 작용할 때의 리딩

자신이 가장 높은 자리에 있을 때 조심해야한다. 잘난척하거나 자신의 힘을 과시하기 시작하면 곁에서 바른 조언을 해줄 이가 없을 지도 모른다.모든 이들이 자신의 명령을 듣고 고분고분하게 굴고 있지만 그것은 잠시 동안이다. 당신이라는 사람 자체를 숭배하고 존경하기 때문이 아니라 그 지위가 당신을 그렇게 만들어주었을 뿐이라는 사실을 잊지 말아야 한다. 앞으로 헤쳐나갈 난관에서 당신이 혼자가 되고 싶지 않다면 지금의 처지에서 대비책을 세우는 것이 좋을 것이다. 하지만 그 위치에서 누리는 혜택이 너무 좋기 때문에 당신은 자칫 독재자가 될 가능성이 높다.

이 카드를 솔루션으로 활용할 때의 리딩

권력이라고 하는 것은 양날의 검 같이 주의해서 다루어야 하는 힘이다. 그것은 누구나 이루고자 하는 소망이지만 정작 그 자리에 앉게 되면 제대로 감당하는 이들은 적다. 그래서 이 카드는 오랫동안 훈련되고 준비된 사람에게 주어졌을 때 최고의 효과를 발휘한다. 소박한 일상의 행복만을 원하는 사람에게는 오히려 부작용이 날 수도 있기에 사람과 상황에 따라서 솔루션에는 차이가 있을 수도 있다. 전반적으로 힘을 강화하고 집중시켜주는 기운이 강하므로 매우 어른스러운 처세를 상징하기도 한다. 흩어져 있던 자질구레한 일들이 기강이 잡혀가면서 그럴싸한 틀을 만들 수도 있다.

79. 엽전 6

79. 엽전 6

나무 그루터기에 도끼가 놓여있다. 나무꾼이 잠시 자리를 비운 것으로 보인다. 뒤로 보이는 많은 나무들 중에서 어느 것을 베어야 할지 아직 생각 중일 수도 있다.

KEYWORD

재물이나 사람이나 넉넉한 편이다. 다만 그것을 어떻게 할 것인가는 아직 결정되지 않았다. 그렇다고 해서 결론이 나는데 그리 오랜 시간이 걸리는 것은 아니다. 다만 잠시 지체될 뿐이다. 결과는 유리한 쪽으로 나올 확률이 높다.

긍정적으로 작용할 때의 리딩

잠깐의 휴식이 주어졌다. 여행을 떠나도 좋고 자신이 매일 붙어 있어야 했던 일터를 조금 비워도 된다. 그렇다고 무슨 큰 일이 일어나지도 않는다. 당신이 팀의 리더라면 오히려 자리를 조금 비우는게 팀의 매출을 향상시킬 것이다. 스트레스를 덜 받는 상태에서 팀원들은 더욱 더 일을 잘 하게 된다. 아이러니 하게도 당신이 간섭을 하려고 할 수록 더 일이 안 될 때가 많다. 당신 자신은 마음을 졸이고 더 잘해주고 싶어서 하는 건데 상대방은 전혀 그렇게 받아들이고 있지 않은 것이다. 이럴 때는 지혜롭게 간격을 주고 쉬어가는 것도 지혜이다. 집안의 일도 마찬가지다. 잔소리를 하지말고 그냥 내버려 둘 때 아이들은 알아서 잘 커간다.

부정적으로 작용할 때의 리딩

지나치게 일중독으로 살아온 사람들에게는 쉰다는 의미가 이해하기 어렵다. 쉬는 것도 일의 연장선상에서 생각해왔기 때문이다. 그러니 한동안 일거리가 없거나 상부에서 내려온 명령에 의해서 잠시 쉬어야만 할 때가 되면 난처해진다. 정작 무엇을 해야할지 모르는 것이다. 은퇴하거나 직업이 없는 상태로 계속 지내야 할지도 모른다는 두려움이 밀려온다. 평소 자신의 여유로운 시간에 생각해두거나 적당한 취미생활을 열심히 찾아야 할지도 모르겠다. 삶이란 늘 빡빡하게 돌아가는 듯이 보이지만 빈 틈도 많다. 그 시간들을 어떻게 활용하는가는 자신의 문제이다.

이 카드를 솔루션으로 활용할 때의 리딩

한 해의 농작물이 잘 자라서 풍년이 되는 동안 사람의 도움이 필요할 때도 있지만 자연 그대로의 손길로 자라는 시간도 필요하다. 이 카드는 인물이 안나오는 몇 개의 카드 중 하나인데, 기다림의 시간을 말해주기도 하고 한동안 바빴던 가운데 모처럼의 여유를 뜻하기도 한다. 오히려 이렇게 쉬어가는 시간에 사람도 성숙하고 성장해간다. 타인의 간섭이나 지시를 따르지 않고 그대로 놓아만 두어도 잘 자라는 시기가 있다. 특히 사람은 태어난 본성과 자질대로 자라난다. 교육이라고 하는 것은 아주 작은 부분을 차지하는지도 모른다. 숲이 무성해지는 것은 누구의 손길인가. 이 카드는 보다 넓은 의미로 세상을 바라보게 해준다.

80. 엽전 7

80. 엽전 7

가을이 와서 나뭇잎은 붉게 물들었고 과일이 알차게 열린 모습이다. 사계절 중에서 결실을 볼 수 있는 계절이며 지난 시간 동안 성실하게 일해온 누군가의 땀이 느껴진다. 이 곳의 주인이 누구인지 궁금해진다.

KEYWORD

재물이나 사람이 매우 넉넉한 편이니 남에게 과시하지 않아도 좋은 소문이 난다. 보는 사람마다 부유함을 알게되니 이미지가 상승되고 명예도 함께 따른다. 먼 곳에서 이러한 소식을 듣고 찾아오는 사람들이 생기게 되니 내가 처신을 어떻게 할지 미리 생각해 두어야 할 것이다. 결론이 눈앞에 있다. 예정된 행운과 행복.

긍정적으로 작용할 때의 리딩

모든 것이 잘 익어가고 있다. 농부라면 자신의 과실들이 여물어가는 모습을 볼 수 있을 것이고 회사의 대표라면 매상이 오르고 안정적으로 돌아가는 모습을 기대할 수 있다. 집안의 가장이라면 가족들이 편안하니 잘 지내고 아이들도 건강하게 커가는 모습을 그려볼 수 있다. 어떤 의미에서든 매우 긍정적인 결과를 볼 수 있으니 반가운 카드이다. 자신이 어떤 씨앗을 심었느냐에 따라서 그에 걸맞는 결과를 볼 수 있다. 이 카드의 주인공이 선량하고 성실한 삶을 살아왔다면 이제 그 성취를 맛보는 것은 당연한 수순이다.

부정적으로 작용할 때의 리딩

이 카드는 딱히 부정적으로 읽을 필요가 없다. 우연이든 운명이든 좋은 결과를 목전에 두고 있는 카드이기 때문이다. 딱히 꼽아보라면 잘 익은 과실은 남의 눈에도 탐스럽게 보이니 조심해야 한다는 정도이다. 그것을 잘 지키고 주변의 경계를 늦추지 않는 것이야말로 최선의 방법이다. 아직 수확을 하기 직전인 상태이므로 보호해야할 의무는 남아 있다. 사업을 한다고 했을 때 새로운 프로젝트를 개봉한다면 이제 거의 막바지에 도달한 모습이다. 누가 봐도 성공에 가깝다. 모든 이들이 시기하지 않고 바라봐준다면 좋겠지만 세상일은 알기 어려운 법이다.

이 카드를 솔루션으로 활용할 때의 리딩

더불어 함께 살아가는 세상이라지만 여전히 사회생활, 대인관계는 어렵기만 하다. 자신이 넉넉하게 살고 있다는 것을 주변인들이 모두 아는 상태라면 조금은 이들을 배려하는 생활을 해야한다. 그것이 자신의 안전을 지키는 방법이기도 하고 주변이들의 시기와 질투에서도 벗어날 수 있기 때문이다. 잘 익은 과일이 주렁주렁 달려있는것 같이 보인다면 당신은 그것을 주변인들에게 나눠주기도 하는 배려를 보여야 할 것이다. 그렇다고 해서 당신의 수확물이 크게 줄어들지도 않는다. 오히려 당신은 더욱 안전하게 자신의 것들을 보존할 수 있을 것이다.

81. 엽전 8

81. 엽전 8

즐거운 기분으로 자신들의 수확물을 거두고 있는 사람들. 풍요로움과 번영을 상징하고 보람찬 시간을 뜻한다. 대체 불가능한 기쁨이기도 하다. 그러나 일한 사람과 거두는 사람과 그것을 소유하는 사람은 다 다를 수도 있다.

오랜 시간 공들인 일의 결과가 나타난다. 누구도 부정할 수 없는 좋은 결실이다. 긴 시간 동안 애정을 쏟은 사람과도 좋은 결실이 있고, 장기간 투자한 사업도 좋은 결실이다. 단지 그 모든 것을 소유하지 못한다고 해도 그것에 참여한 기쁨이 있고 대가를 지불받는다.

긍정적으로 작용할 때의 리딩

진정한 의미에서 열매를 수확할 수 있게 되었다. 바라만 보던 것이 실체화 된다. 오랜 기간의 사업 계획이 드디어 실행되고 통장에 돈이 들어오기 시작했다. 뿌듯한 보람을 느끼며 스스로도 자부심을 맛본다. 이 단계가 되었을 때는 남들의 시선은 모두 부러움으로 바뀌며 당신의 경쟁상대라고 하던 인물도 어쩔 도리가 없게 된다. 당신은 완전한 승리를 거머쥐게 되었고 무엇보다 손에 쥘 수 있는 행복을 맛본다. 시험에 합격을 기다리고 있던 사람은 바라는 소식을 들을 것이고, 결혼의 프로포즈를 기다리던 사람도 소원을 이룬다.

부정적으로 작용할 때의 리딩

이 카드 또한 부정적인 리딩은 그다지 필요가 없다. 만족스러운 결과를 성취하는 의미가 강하기 때문에 어두운 면으로 굳이 읽지 않아도 된다. 게다가 바로 열매를 거두어 들이는 상황이어서 남들의 시기와 질투도 미치지 못한다. 일손이 바빠진다는 점에서 분주한 분위기이지만 그것을 나쁘다고 보긴 어렵다. 수확의 계절은 누구나 분주할 수밖에 없다. 또한 이것은 타이밍을 의미한다. 제 때 수확하지 않는 열매는 썩어버리거나 다른 동물의 먹이가 될 뿐이다. 그래서 조금 더 부지런하게 움직이는게 좋다.

이 카드를 솔루션으로 활용할 때의 리딩

자신의 인생의 주인공은 자기 자신이다. 남이 대신할 수 없다. 영광과 성공을 누리는 것도 자기 자신만이 할 수 있는 것이다. 팀을 이루어서 함께 해내는 일에도 이 카드는 매우 유리한 기운을 불어넣어준다. 인생이라는 무대가 열리고 본격적으로 공연이 시작되었으니 자신의 기량을 유감없이 펼쳐보여도 좋다. 이 카드는 업적과 소망성취에 대한 결과물을 보여주기 때문에 지금이야말로 당신의 인생의 황금기라고 해도 부족함이 없다. 조금 주저하고 있다면 더 용기를 내고 앞으로 나아가야 한다. 지금 당신에게 오고 있는 기회는 두 번 다시 없을 강력한 행운이다.

82. 엽전 9

82. 엽전 9

모닥불을 피우며 수확이 끝난 뒤 담소를 나누고 있는 사람들. 지나간 시간들을 회상하면서 다음 해에는 어떻게 해야겠다는 결심을 다지기도 한다. 그 중에는 더 좋은 아이디어를 내놓는 사람들도 있다. 각자 속으로 생각하는 바들이 다양하다.

KEYWORD

지금은 행동보다는 생각 속에서 자신의 처지를 정리하고 그 다음의 일을 도모해야 할 시기다. 실행에 옮겨야 할 시기는 지나갔으며 수확의 시기도 지나갔으니 다시 다가올 시간은 어떤지를 계획함이 좋겠다. 부정적인 해석에서는 타이밍을 놓쳤다고 해석하기도 한다.

긍정적으로 작용할 때의 리딩

뒷마무리를 하기 위해서 사람들이 모여들었다. 저마다의 사연도 있고 역경도 있었지만 큰일을 해냈다는 보람이 느껴진다. 이 카드는 모든 일이 어느 정도 끝났다는 것이기 때문에 한시름 놓아도 된다. 진정으로 쉬어갈 수 있는 시간이 온 것이다. 이제는 조금 게으름을 피운다고 해도 누가 나무라지 않는다. 힘겹던 농사일이 끝났으니 몇달간은 푹 쉬는 농번기가 다가오는 것과도 같다. 결혼식이라면 피로연을 생각해볼 수 있고, 여행을 떠난다면 환송회, 퇴직을 한다면 화려한 은퇴식 등등 여러가지의 경우가 있다.

부정적으로 작용할 때의 리딩

막상 일을 시작했거나 새로운 계획을 잡았을 때 이 카드가 나온다면 무의미하다. 출발이 아니라 마무리를 하는 시기다. 씨를 뿌리는 게 아니라 수확이 벌써 끝나고도 남았다는 것을 알려주는 것이다. 뭔가 헛다리를 짚고 있는게 아닌가 심사숙고해야 한다. 영양가가 쏙 빠진 일을 떠맡아서 하고 있지는 않은지, 누군가에게 속고 있는건 아닌지 잘 살펴야 한다. 카드의 인물들은 품삯을 받거나 수확물을 전부 분배받고 각자 떠나기 직전이다. 그러니 이러한 시기에 무엇을 새로 하고자 덤빈다는 것은 다 부질없는 짓이다. 휴지기에 들어간다는 사실을 명심하자.

이 카드를 솔루션으로 활용할 때의 리딩

좋았든 안 좋았든 하나의 결론에 도달한다. 거기엔 배움도 있고 추억도 있으며 때로 후회도 있을 것이다. 하지만 모두가 다 지난 일이다. 이 카드는 당신이 그동안 해온 직업적인 분야도 상징하지만 인생 자체에 대한 것도 나타낸다. 인생의 다른 장으로 넘어가는 것이다. 학교를 졸업해야만 사회인으로 출발할 수 있다. 부모로부터 경제적 독립을 하면 그 때부터 진짜 어른이 된다. 그러니 과거를 돌아볼 필요가 없다. 모든 것은 이제 기억속으로 사라지고 과거로 남는다. 이 카드는 황혼기에 접어든 사람에게서도 나타나지만 때로는 젊은이들의 새로운 출발을 위해서도 필요한 카드이다.

83. 엽전 10

83. 엽전 10

모여 있던 사람들이 다 떠나간 자리에 발자국만 무성하다. 다들 각자의 길로 떠나간 흔적들이다. 휴식의 시간, 소강상태이다. 땅도 사람도 쉬어야 하는 시기임을 알려준다.

KEYWORD

지금은 어떠한 것도 진행되지 않는다. 무리하게 추진하는 것은 어리석다. 재물이건 사람이건 모여들지 않고 오히려 내 곁을 떠나기 바쁘게 느껴진다. 다시 모여드는 운을 기다리고 준비하는 시기로 봐야한다. 시기를 아는 것이 중요하다.

긍정적으로 작용할 때의 리딩

이 시기에는 나쁜 것도 좋은 것도 어느 쪽도 진전이 없다. 그러니 마음을 비우고 기대를 안하는게 상책이다. 한편으로는 쉴 수 있으니 다행이라고 여겨도 좋다. 당신이 대범한 성격의 소유자라면 이럴 때 편히 쉴 것이다. 어차피 끝난 일에 대해선 깨끗하게 잊어버리고 미련을 떨쳐버린다. 상당히 속시원한 대처를 하고 결론을 내리는 멋있는 사람이다. 물론 경제적으로 손해를 봤다거나 상처를 입었거나 하는 등의 여러가지의 사연이 존재한다. 그러나 그마저도 시간 속에 모두 흘려 보낸다. 역시 만병통치약은 시간일지도 모른다.

부정적으로 작용할 때의 리딩

당신이 성격이 급하거나 매사 제대로 눈앞에서 결과를 봐야만 직성이 풀리는 사람이라면 매우 답답할지도 모른다. 사람도 보이지 않고 지나간 발자국밖에 없다는 것은 모든 일이 다 끝나버렸고 가져갈 게 아무것도 없다는 뜻이다. 폐허에서 무엇을 찾겠는가. 그것은 어리석은 일이다. 포기해야 하지만 포기를 못할 때 사람은 괴롭게 된다. 손에 들어왔다고 여겼던 일이나 재물이라면 벌써 놓치고 말았고 누군가를 따라잡으려 노력했지만 실패하고 만다. 그동안의 노력이 실패로 돌아가고 공허한 느낌에 한동안 사로잡힌다. 게다가 당신의 이러한 마음을 헤아려주는 이도 없다.

이 카드를 솔루션으로 활용할 때의 리딩

모두 헤어지고 난 발자취만 남은 카드가 쓸쓸해 보인다. 은퇴한 이후에 아무도 자신을 찾아주지 않는 노인의 외로움이라고 할지, 파산하고 나니 연락도 없는 친구들이라고 할지 아무튼 혼자가 되어버리는 상황이다. 이제 어디로 가야 하는가 하는 문제는 온전히 당신 자신의 고민이 되어버렸다. 곁에서 누가 위로해줄 수 있으며 조언해 줄 수 있겠는가. 이제는 당신의 선택만이 남았다. 조금 더 먼 미래를 바라보고 한걸음씩 힘겹지만 앞으로 전진하고자 한다면 희망은 남아 있다. 하지만 언제까지나 무력하게만 있다면 아무 대책도 없다.

GOLDEN AGE X PRIME MUSE

MANSHIN I

한국 민속신앙과 샤머니즘, 만신1 오라클카드